W9-DBW-219

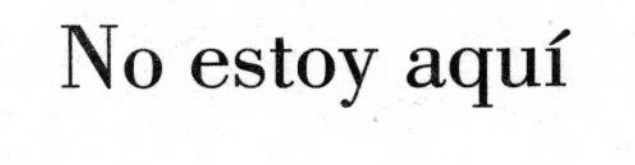
No estoy aquí

Anna Ballbona

No estoy aquí

Premio Llibres Anagrama de Novel·la 2020

Traducción de Concha Cardeñoso Sáenz de Miera

Título de la edición original:
No soc aquí
Anagrama
Barcelona, 2020

Ilustración: Fotografías © Hulton Archive / Getty Images.
Fotomontaje © Diane Parr

Primera edición: junio 2020

Diseño de la colección: Julio Vivas y Estudio A

De la traducción, Concha Cardeñoso Sáenz de Miera, 2020

Pedró de la Creu, 58
08034 Barcelona

ISBN: 978-84-339-9904-7
Depósito Legal: B. 10935-2020

Printed in Spain

Romanyà Valls, S. A., Sant Joan Baptista, 35
08789 La Torre de Claramunt

A Nila, Josep, Toni y Albert,
por los dones

Quizá nunca hayas tenido un amigo imaginario
quizá nunca hayas pedido nada a tu ángel de la guarda
quizá nunca te hayas sentido hijo de padre desconocido.

DAVID CARABÉN (MISHIMA)

En hombres y mujeres a quienes no queríamos
no pensábamos nunca no proyectaban sombra

Pero al envejecer se ha poblado la sima
y un mundo de adultos hemos reproducido.

PAUL ÉLUARD
(traducción de María Teresa Gallego Urrutia)

[ENTRADA]

Hace tiempo que nadie abre ese viejo baúl, un baúl como los que había antes en las casas. Años atrás guardaban ahí los juguetes. Cuando se decide a ordenar el material del curso, intenta ponerlo en una balda del estudio, pero enseguida se da cuenta de que es mejor desistir porque apenas le quedaría espacio libre. Se acuerda del viejo baúl, un recurso para no perder mucho tiempo en la operación. Aparta dos mantas viejas, un cojín y un flexo sin bombilla calculando si le cabrá el montón entero, sin más complicaciones ni estructura. ¿Por qué conservamos las cosas inservibles? ¿Las queremos a modo de amuletos improbables contra el paso del tiempo, como si su pervivencia garantizase la nuestra? Arregla como puede los montones de objetos para hacer sitio y, hurgando sin ningún cuidado, aparecen dos cuadernos gruesos, metidos allí de cualquier manera desde ni se sabe cuándo. Intenta ponerlos rectos para que no estorben, pero entonces la tapa del más descuajaringado se rasga un poco más, como la armadura de un caballero que se desmonta, y tiene que dejarla encima del mueble para que no se desgaje del todo. Deja el cuaderno indemne a modo de base del hueco que ha logrado hacer y procede a depositar el montón de apuntes. El baúl está recubierto de una plancha que imita la madera para disimular su sencillez. Antes de cerrarlo, da un par de retoques leves a los objetos, como si pasara una varita mágica, para que vuelvan al supuesto orden original. La cerradura, que baila por un lado de la moldura, hace un clac automático cuando baja la tapa, ligeramente abombada. Dentro de unos años, cuando vuelva a abrirlo, se preguntará por qué guardó esos apuntes de letra astrosa que nunca volverá a consultar. Pero ahora se fija en el cuaderno de la tapa medio arrancada. Se le ha olvidado guardarlo. Le echa un vistazo con desgana y reconoce la letra en el acto.

Hay muy pocas fotos mías de pequeña. En casa dicen que me habían hecho un carrete entero y que se perdió en la tienda de fotografía, que nunca lo encontraron. Y no se les ocurrió comprar otro. Tenían mucho trabajo. Cuando mirábamos los álbumes familiares, en esas sesiones eternas que solo se sostienen por la fuerza de la costumbre, comprobaba, atónita, que había muchísimas de mi hermano. Unas cuantas correspondían a imágenes en que todos los recién nacidos son iguales e intercambiables. Otras, a la etapa de los primeros pasos. Las más antiguas eran todavía en blanco y negro. Más tarde mi hermano sale en equilibrio precario y cómico, el típico de los niños pequeños, agarrado a mamá y a papá, a las primas o a los abuelos. Siempre con gente diferente, como si todo el mundo quisiera estar con ese niño tan guapo. «¡Hay que ver lo rubísimo que era!»

Durante mucho tiempo creí que era adoptada y que no se atrevían a decírmelo. Si en la tienda de fotografía habían cambiado un carrete por otro –nunca llegué a saber quién era la otra familia–, tampoco sería tan difícil que hubieran cambiado a un recién nacido por otro o que yo hubiera llegado a casa unos meses después de aparecer en el mundo. Eran hipótesis que justificarían de sobra la ausencia de documentos gráficos de mis primeros meses de vida. No tengo ni una foto en la cuna, ni en brazos de mi madre ni mucho menos de mi padre. Sin embargo, sé que existía y que mi madre me dio la vida y que después me la salvó, se puede decir.

Mi hermano me lleva cinco años. Entre los dos, mi madre sufrió un aborto espontáneo que por poco la manda al otro barrio. Por eso me preguntaba yo, con unos gramillos de impudicia: «¿Y si resulta que, en vez de la historia oficial, mis padres no pudieron tener el segundo hijo que deseaban y fueron a buscarlo quién sabe dónde?» Si me ponía a dilucidar de dónde me habrían sacado, de dónde había salido yo, me hacía un lío con las investigaciones, que acababan enredadas en un ovillo de fantasía e imposibles. Intentaba averiguar mi configuración en el mundo entre la fantasía y los imposibles.

Llegué a darle tantas vueltas a la posibilidad de la adopción que un día le solté a mi madre que si me habían adoptado me lo podía contar, que no pasaba nada. Yo lo entendería, y siempre los querría y se lo agradecería. La respuesta fue un no tajante y ofendido, con cara de «a qué viene eso», y me dio la espalda. Y me condenó a seguir escrutando los álbumes familiares empecinadamente, con una lupa casi científica, en busca del menor detalle revelador. Examinaba las caras, las posturas y los gestos congelados de padres, abuelos y tíos, y los de unas cuantas personas a las que no había llegado a conocer. Con la distorsión que añade el contexto –una boda, una celebración corriente o una visita imprevista–, con las arrugas que infligen el paso del tiempo, las modas y los años, todas las caras me parecían de un cuento mítico, más que del tronco familiar. Claro que eso que se llama tronco familiar es una idea vaporosa, aleatoria y estrambótica. Y, al fin y al cabo, ¿quién no se pone una máscara al intuir el clic de una instantánea? ¿Cuánta felicidad o cuánto sufrimiento puede llegar a mostrar una cara?

Una de las primeras fotografías que se conservan de mí es de un encuentro familiar. Debo de tener pocos meses. ¿Tres o cuatro? Estoy en brazos de una prima. Soy una recién nacida con un cabezón enorme, cuadrado, con unas mejillas hiperbólicas y un pasador en el pelo, en el lado derecho de la cabeza, con el que seguramente mi madre intentaba arreglarme un poco. Los familiares llevan manga corta. Mi abuelo también; sonríe, pero ya está condenado a la silla de ruedas porque le falta una pierna. Se la tuvieron que amputar por culpa del azúcar galopante. Ajena al foco de la fotografía, pasa una tía soltera medio encorvada, con la cara aplastada, como si de un bofetón le hubieran prensado los ojos, la nariz y la boca. Todo a la vez. Otros hacen muecas raras porque los deslumbra el sol y no saben cómo ponerse. Esa instantánea condensaba un matiz grotesco del medio que me acogía. Lo iría conociendo poco a poco.

En casa decían que me parecía al «muñeco de Netol». Se trataba de un mayordomo que anunciaba un producto de limpieza que había tenido un gran éxito años antes de nacer yo. La palabra «muñeco», aplicada a una silueta publicitaria, añadía una burla innecesaria. No supe cómo era el tal Netol hasta los veintitrés años. Un día, al salir de un bar nuevo de menús que quería probar, cerca del trabajo, vi las mejillas desaforadas de Netol. Una placa al lado de la caja registradora. Netol tiene la cara en forma de pera aplastada cuyas mejillas se ensanchan burlescamente y terminan formando la raya de una boca satisfecha con el producto que quiere vender. La intención de la placa era dar al local un toque de decoración vintage. Un adorno de quincalla que no me hizo ni pizca de gracia. También pensé que en mi casa no se andaban con contemplaciones. Y entonces me acordé de una de las frases predilectas de mi padre:

–Ah, sí; ahora se tienen muchos miramientos con los hijos; los crían entre algodones. Antes no era así, ni mucho menos.

Y lo decía quejándose del avance inexorable de los tiempos y del exceso de finolis. Mi padre manejaba el huerto y cuatro palabras, las justas, y no le costaba nada otorgarles significados arbitrarios. Se equivocaba a menudo.

Todavía no había cumplido yo dos meses cuando mi madre detectó que me adelgazaba. A mi padre y a mi abuela no se lo parecía, no veían nada anormal, pero ella, por suerte para mí, estaba convencida y me llevó a la doctora. Yo berreaba sin parar, casi no dormía y, por lo visto, era un pozo sin fondo de diarreas. A veces me dejaban con el culo al aire para que mejorara la irritación.

Desde entonces, mi padre no ha perdido ocasión de recordarme que lloraba a todas horas y que no le dejaba descansar, cuando él tenía contadas las horas de sueño antes de levantarse temprano para ir a la fábrica. He pasado a la historia como una llorona. Cuando me llevaron a la doctora, dictaminó que posiblemente no toleraba la lactosa de la leche. Por eso tenía dolores de barriga y diarreas y lloraba tanto, pero el mito de la niña llorona quedaría para siempre.

Como mi madre no tenía leche, me daban biberón. A raíz del diagnóstico tuvieron que suministrarme una leche especial de Suiza. Cuando la de Suiza se acabó, me la traían de Inglaterra. Eso siempre me ha hecho gracia. Aunque era de campo y de una cuna nada dorada ni forrada de algodones ni fotografiada, a los dos meses tomaba leche de importación. De mayor me he enterado de que la intolerancia a la lactosa en los niños de pecho es poco habitual; a finales de los años setenta no había una gran variedad de leches alternativas ni conocimientos suficientes para tratarla. Si con esa leche la cosa no mejoraba, tendrían que ingresarme en el hospital.

La doctora me impuso un régimen estricto para engordar, un imperativo para una niña de solo dos meses. Solo podía tocarme mi madre, nadie más, y lo menos posible, para evitar que un exceso de zarandeo me hiciera perder peso. Ahora da risa, pero en aquellos tiempos era la tesis de moda. Soy la prueba de que, en tres décadas, las modas de lo que ahora llaman crianza han pasado de un extremo al otro.

En las instrucciones se recalcaba que el resto de la familia no me podía tocar. Tenían que dejarme tranquila para que durmiera y descansara. Receta de ahorro de energía. Me imagino en la cuna muerta de aburrimiento sin saber lo que era el aburrimiento, mirando el mismo techo todos los días sin terminar de verlo y pensando –sin saber si lo pensaba–: «¡Qué sitio tan inhóspito!»

Me pesaban todas las semanas. Si ganaba cien gramos era un triunfo. Cuando me repuse un poco (el proceso alimentario iba normalizándose poco a poco a base de paciencia materna), la doctora dio nuevas instrucciones: parecía que esa niñita que miraba al techo con cara de ida necesitaba estimulación. Una vez más mi madre fue la única que se empleó a fondo en la tarea. Aunque me habían levantado la veda del contacto, algunos familiares se hicieron los ofendidos y nunca se interesaron en acortar las distancias que había marcado un precepto médico circunstancial. Y así, sin querer, certificaron que nunca sería la criaturita monísima que había sido mi hermano. Qué ironía. Ahora comprendo que la semilla de la extrañeza no haría otra cosa que crecer.

Más adelante tuve algunos problemas de crecimiento. Primero me descubrieron raquitismo, que es falta de vitamina D, y por eso me daban unas gotas y me ponían a tomar el sol, como a los niños de la posguerra. Después, frisando ya los dos años, vieron que se me desarrollaba más el pecho derecho que el izquierdo. No me acuerdo de esas cosas ni me ha quedado ningún trauma fatal. Me lo cuenta mi madre. Y los recuerdos, que pueden ser unos gamberros y unos tunantes, a veces nos echan una mano. De mayor he preguntado a mi madre si alguna vez le pareció que iba a convertirme en un monstruo. Ella sonríe piadosamente y dice que no, que todo era por la falta de calcio y el problema de los huesos, y que entonces empezaron a dármelo a espuertas. Mi madre tiene la virtud de no magnificar nunca los problemas. Se enfrenta a ellos y a otra cosa. No sé si yo sabré hacerlo, ahora que estoy embarazada.

Me pregunto si la semilla de la extrañeza es hereditaria, si se prolonga en la descendencia como una marca de ADN más. La historia de mi embarazo tampoco es como la de las demás. Me obliga a pensar en la niña que fui y en la que será: qué hay en mí de la primera y qué habrá de mí en la que llevo en el vientre. Como siempre que me encuentro en situaciones así, que suponen una sacudida –la sensación de traqueteo en la barriga al despegar el avión–, se me escapa la risa unas veces. La risa de las cosquillas, que no se sabe qué hacer con ella. Y otras veces huiría.

Por lo visto, el médico de Barcelona que me trató de la desigualdad del pecho –el que no crecía era el del lado del corazón– tenía una quemadura en la cara. Parecía que los pequeños monstruos estaban destinados a hacerme compañía. La anomalía también es una forma de reconocimiento y de protección. Mi madre asegura que el médico dijo:

–No se preocupe por esto del pecho. Lo importante es que haya buen material dentro de la cabecita. Míreme a mí, sin ir más lejos. Con esta cara que Dios me ha dado, también tengo este despacho y estos títulos que ve.

Supongo que quería animar a mi madre. Pero cuando le enseñó mis antecedentes, con el rechazo a la leche, parecer ser que el hombre cambió de tono:

–Pues alégrense de lo bien que lo ha superado. Hace ocho años perdí a un niño de pecho. Tampoco toleraba la lactosa de la leche... –Hizo una pausa dramática que alertó a mi madre–. Tuvimos que hospitalizarlo inmediatamente, por la noche empeoró y no hubo forma de salvarlo. Lo perdí, sí, hace ocho años.

No sé si tengo que considerarme una superviviente. Siempre me acompañó una complexión esmirriada, hasta que pasé la barrera de los veinticinco años, poco después de descubrir la tenebrosa figura de Netol. Ahora que lo pienso, desde luego en mi casa no se andaban con rodeos.

A consecuencia de la consulta con el médico caraquemada, mi madre me llevó una temporada a hacer gimnasia a la Ciudad de al Lado. En invierno hacía frío y daba mucha pereza. Era nuestra excursión particular de los martes y los jueves. Salíamos muy poco del barrio y del pueblo, por eso el viajecito quedó elevado a la categoría de excursión.

Para mí, en la Ciudad de al Lado siempre es la misma hora: las seis y media, que era cuando buscábamos aparcamiento con desesperación para nuestro diminuto Ford Fiesta gris (el primer modelo, el que hizo furor a finales de los años setenta y principios de los ochenta y parecía de pura chapa). El vaho de los cristales distorsionaba las luces de la calle, las de los otros vehículos y las de los semáforos. Madre e hija transitábamos juntas, en silencio, por un mundo que no dejaba de sernos hostil y que, para empezar, se empecinaba en negarnos una plaza de aparcamiento.

Aquella gimnasia especial tenía que ayudarme en el desarrollo, como si hubiera nacido gusano de seda perezoso. No sé si volvía muy cansada, no me acuerdo. Cuando salíamos de la Ciudad de al Lado, seguramente me extasiaba con la actividad presurosa del polígono, con la fábrica de sopas y la de pan de molde, con sus pabellones destacados. Y con todos aquellos talleres apretujados y humeantes que parecían tiznados desde hacía siglos; y las hondonadas infinitas de aquella avenida que se me antojaba enorme, una obra monumental. No sé con exactitud qué edad tenía, pero no debía de andar lejos de la escuchimizada de tres años que aparece en una foto que tampoco me hicieron en casa.

Me la hicieron en el colegio, no recuerdo el motivo concreto. Estamos mi hermano y yo juntos, en la clase de parvulario. Formamos un cuadro de contraste. De lo que sí me acuerdo es de que no quería que me fotografiaran. Agarré una rabieta de órdago. Como no estaba acostumbrada a las fotos, ¡la pataleta era la reacción más natural del mundo! La cara de angelote de mi hermano es enternecedora. Bata negra, con los puños bien colocados, brazos reposando amorosamente en la mesa. Yo tengo un libro abierto –un cuento infantil del que sobresale el dibujo de un dragón–, las manos en tensión sujetando una página, el cuello de la bata rosa torcido. La incomodidad es indiscutible. La mirada es directa, contundente, entre enfurruñada y asustada: concentra una especie de desafío que no se sabe de dónde sale en una niña de tres años; cinco segundos más y quizá se convirtiera en un berrido desconsolado... Solo quizá, porque la mirada se clava sin ambages en el objetivo del fotógrafo, que un poco antes debía de estar sudando tinta para que no me moviera. Los ojos vivos y perfilados, escrutadores, revelan una intemperie. Y una conciencia clara de la realidad. Las cejas los acompañan con suavidad y las mejillas prominentes dibujan un círculo rojizo e insinúan un deje cómico. Cómico sin llegar a ser de Netol. De la rabieta a la comicidad no hay mucho trecho.

Tengo pocas fotos, así que con esta hice el ejercicio propio de las dictaduras comunistas: fui a una tienda de fotografía y les pedí que eliminaran la imagen de mi hermano. Por fin disponía de un retrato fidedigno de mi infancia, que creo que insinúa cómo debía ser o cómo me debía ver. Las fotos pueden engañar por completo, ilustrar cenas de tres al cuarto que después alguien se encarga de poner en su sitio por medio de relatos en voz baja mientras se friegan los platos, en una noche de insomnio o en un rincón de la sobremesa que parecía no tener nada que ofrecer. Pero aquella niña de tres años no engaña. Pregunta con los ojos qué demonios hace allí. ¿Dónde estoy?, quiere saber.

Cuando llegué a la edad de poder compartir juegos, con mi hermano íbamos a ver los camiones que pasaban por la autopista, que estaba al lado del barrio en el que vivíamos, en las afueras del pueblo. Lo llamábamos barrio, pero no eran más que unas pocas casas. Un berenjenal urbanístico –una calle sin farolas, alquitranada a parches– que daba la sensación de estar más apartado de lo que lo estaba en realidad, porque se encontraba al otro lado de la autopista. Éramos los únicos niños del barrio. Los fines de semana venía gente de Barcelona, pero no nos relacionábamos mucho, así que las condiciones nos obligaban a jugar juntos, a mi hermano y a mí.

El barrio no era nuevo. Al principio solo existía la Casa Vieja, donde vivieron los antepasados de nuestro padre desde que llegaron a este terruño, que sepamos, como mínimo a mediados del siglo XVIII. Unos cien años después construyeron la línea de tren y más tarde, la garita de la guardagujas. Tanto a la mujer como a la barraca las llamaban «la casilla», cohesionadas ambas en una misma corporación. Después construyeron algunas casas sin orden ni concierto. Y más tarde, la urbanización de los nuevos ricos.

Nuestros vecinos eran los habitantes del cementerio, detalle que nos dotaba de un aura aún más remota, peregrina.

El pueblo, a media hora en tren desde Barcelona, tenía una superficie escasa. Se podía recorrer de punta a punta en un pispás. La autopista era una frontera tácita. Como atraviesa todo el país, era muy normal ver pasar camiones de gran tonelaje. Los días anteriores a la celebración del rally París-Dakar, cuando todavía se hacía en África, mi hermano y yo subíamos entusiasmados hasta lo alto de la cuesta del cementerio, que ofrecía un panorama excepcional de la autopista. También del pueblo y de los polígonos industriales que lo rodeaban por todas partes.

A mi hermano siempre le han gustado los coches y los camiones. Se fijaba en el volumen, en las ruedas, en el color. A mí eso me daba igual y me dedicaba a contarlos. Por algo no me saqué el carnet de conducir hasta mucho más tarde, cuando trabajaba en la editorial y tenía que ir a ver a profesores de colegios e institutos para venderles libros de texto. Mi primer coche fue el de la empresa.

Saludábamos a los camiones como tontos, y si alguno tocaba el claxon, un gemido amplificado de foca del Ártico, creíamos que nos había visto y que nos dedicaba un cordial saludo. Cuando hay tan poca gente a la que saludar, cualquier cosa te parece un saludo. Y el saludo inexistente me sumía en un ensueño sin pies ni cabeza. A lo mejor un día uno de esos conductores rubios que siempre ganaban el Dakar se pararía en el arcén de la autopista y me llamaría para que me acercara a su bólido. Me preguntaría si quería acompañarlo a los desiertos africanos. Y fantasía viene, fantasía va:

–Es una travesía larga, a la altura de una niña valiente como tú. Verás paisajes formidables que no se ven en la tele –me decía el piloto rubio.

Yo le miraba los ojos azules y el pelo rubio y me quedaba embobada con las ruedas del coche, que eran más grandes de lo que parecía desde nuestro mirador predilecto.

Aquel piloto..., ¿cómo se llamaba?, Ari Vatanen, eso, me pedía que me decidiera, que no podía esperar más. Antes tengo que decírselo a mi madre, objetaba yo, pero Ari insistía, que ya la llamaríamos cuando llegáramos (cosas de una era sin móvil), que no podía retrasarse. Y entonces le daba el recado a mi hermano.

–Dile a mamá que me voy a Dakar. Ari tiene prisa y no quiero que por mi culpa...

–Pero ¿qué le digo a mamá? África está muy lejos, Mila.

–Ari lleva de todo en el coche. Comida, ropa..., y yo seré su ayudante en las carreras.

–Pero si el lunes hay que volver al colegio. A papá y a mamá no les va a hacer ninguna gracia. Y encima me dirán que por qué te he dejado marchar.

La evasión terminaba cuando otro camión, uno normal y corriente, sin el glamour de los del Dakar, con la lona de protección sacudida por el viento, un camión que a lo mejor transportaba pienso adulterado o sedantes para media Europa, tocaba la bocina y rompía el encantamiento.

–Vamos a casa, que aquí arriba hace frío –sentenciaba mi hermano de pronto.

Al final de la tarde hacía viento en lo alto de la cuesta del cementerio. Los polígonos ya habían encendido las luces, que formaban un *continuum* de titilantes velas asépticas, arrulladas por el rumor del tráfico y por el trajín del llano. Un rumor que nacía de una multitud de ruidos y de respiraciones profundas y atascadas, con una leve ronquera. La respiración del complejo industrial: cuando no es uno que tira de la cadena en una fábrica y pone en marcha un bramido de cisterna –la cadena es en realidad un engranaje mastodóntico–, son los ventiladores que expulsan el calor de cochambre densificada. De vez en cuando destaca una chispa en medio del plomo, el nombre de neón de alguna empresa.

Por la noche y de lejos, la luz humaniza los polígonos, les confiere un orden, resalta la serie de puntos alineados geométricamente como si se tratara de un ensanche residencial. Al pasar por debajo de una de las farolas de luz mortecina, quebradiza, da la sensación de que funcione con pereza, de que en cualquier momento puede apagarse y dejarte a oscuras. Como un fallo más del sistema. Pero todo esto no lo sabía cuando nos embobábamos mirando la autopista. Tampoco había tenido que preguntarme qué se hace cuando se queda una a oscuras, como ahora: ¿disimular como si no pasara nada o pegar un grito que despierte a quien sea?, ¿alimentar mentirijillas para ir tirando o soltar una verdad tan contundente como una plaza dura, de cemento? El propio polígono pasa de todo con sus descuidos –la acera destrozada, la farola estropeada, la grasa de una nave– y nadie se queja.

Es increíble lo mucho que nos atraen algunos olores. Sabemos que nos pueden hacer algún pequeño estropicio, pero al mismo tiempo nos llaman la atención. Eso me pasaba con la pajuela que introducía mi padre en las barricas de vino que conservaba en la Casa Vieja, en el antiguo comedor-cocina-recibidor de la casa de nuestros antepasados, donde había nacido él. Una casa sin ninguna gracia, sin forma de masía, con una puerta grande y raída que costaba mucho cerrar. Mi padre ya no usaba las barricas para guardar el vino de las viñas que tenían en otros tiempos, sino para hacer unas mezclas de dudoso gusto. Unas mezclas de las que sacaba vino tinto, vino claro y vino dulce, que era su clasificación personal de los vinos. «El vino embotellado no vale nada», decía a menudo, a modo de enmienda libre a la totalidad.

–Por lo visto el vino embotellado ha subido diez duros –proclamó un día, para confirmar que el mejor vino del mundo era el que salía de sus barricas.

Nunca llegué a saber a qué vino embotellado se refería ni de dónde había sacado esa privilegiada información de mercado.

Los efluvios tóxicos siempre me han despertado interés: disolvente, pintura, rueda quemada de moto, el rastro del motocultor al arar la tierra... Ahora soy más consciente porque lo huelo todo en un kilómetro a la redonda. Espero que esta criatura no se maree con tanto aspirar. Aunque, bueno, por lo menos ya no tengo los vómitos de los primeros meses. Otra cosa es esa inquietud que no desaparece, como un huesecillo de conejo atravesado en el gaznate. El otro día pasó por delante de casa un repartidor de pizzas en ciclomotor –con un sospechoso tubo de escape– y le seguí el rastro olfateando como si no quisiera perderme una historia que me pertenece.

Es posible que todo empezara con la pajuela. Mi padre –gorra con publicidad de no se sabe qué encima de la calva, camisa y pantalones azules y viejos de la fábrica, zapatillas deportivas del mercado semanal– hacía el mantenimiento de las barricas de la Casa Vieja quemando la pajuela dentro de ellas. Yo iba con él y me sentaba en el suelo húmedo y grasiento, que desprendía efluvios rancios. Para mí, esas maniobras eran pura alquimia. Mientras él hacía los preparativos, yo cogía un papel de periódico abandonado entre las barricas, de los que tenía él allí para envolver las botellas cuando regalaba alguna. Eran periódicos antiguos; uno deportivo y uno de información general que le daba un vecino.

En cuanto introducía la caña recubierta de azufre, encendida por una punta, y se soltaban las emanaciones antioxidantes y conservantes, empezaba a salir ese olor tan característico. El hilillo amarillento ablandaba la nariz y después venía un agradable cosquilleo. Y a continuación el tufo que daba tos.

–¡Te he dicho que no lo respires, que te vas a ahogar!

Yo contenía la tos y seguía a lo mío. Entonces encendía

una precaria bombilla que prácticamente colgaba de un hilo y me ponía a leer la crónica del último partido de liga del Barça. Si todavía quedaba una chispa de sol, mi padre me amonestaba:

–¿Para qué enciendes la luz? ¿Acaso no ves? Apágala, ¿o te crees que la regalan?

Mi padre siempre tiraba a lo barato, su tacañería era extravagante y desordenada, y al final siempre salía más cara. Cuando abrieron los primeros bazares chinos, se apresuró a abastecerse de cajas de herramientas. Las adquiría a un precio más que asequible y en cantidades industriales, por si venía la tercera guerra mundial, pero se le estropeaban cada dos por tres. Después se quejaba y maldecía esos inventos deficientes, pero antes se había jactado de su valiosa adquisición como si hubiera hecho un hallazgo colosal, desconocido para el resto de la humanidad. Cuando las paredes de tu mundo son las costumbres de lo que siempre se ha dicho y se ha hecho, convertido en mojón de límite, un bazar chino puede adquirir la categoría de Santo Grial. Y dejar de serlo unas horas después, aunque no sepas lo que es el Santo Grial.

Mi padre era –y lo cierto es que le ponía empeño– el último espécimen de un tiempo extinguido, de unas actitudes refugiadas en un búnker. Cuando yo le replicaba que necesitaba la luz para leer, la conversación terminaba así:

–¿Quién manda aquí?

Y punto. De ahí debieron de salir los anticuerpos que tengo a la nefasta rutina. No hay autoridad más ridícula que la que necesita hacerlo patente todos los días del mundo. Y en el fondo, mi padre solo exclamaba «¿quién manda aquí?» porque se lo había oído decir a su padre y a su abuelo, él que reverenciaba al cura o al médico del pueblo porque encarnaban el poder, él que votaba al alcalde que había mandado siempre porque venía a llamar a su puerta. Simó será un padre diferente. No me lo imagino amonestando en plan fácil ni soltando despropósitos incongruentes. Jonás, nunca lo sabré, pero eso ahora no viene a cuento y lo que tengo que hacer es quitármelo de la cabeza.

Esto por no hablar de la particular relación de mi familia paterna con el fluido eléctrico. Cuando ya había llegado el suministro a todo el pueblo y a los rincones más alejados, mi bisabuelo se opuso a que llegara al barrio. Costaba mucho dinero, ¡ni pensarlo, vamos! La luz, como todo lo nuevo, es cosa del demonio, debía de pensar aquel hombre inveteradamente adusto. Y el bisabuelo prohibió a su hijo –el heredero, el amo de la casa– que hiciera la inversión para que llevaran la corriente. ¿Quién manda aquí? Y los obligó a trajinar baterías recargables de un lado a otro. Tuvieron que esperar a que se muriera para salir de este cuadro del Far West y adelantar las manecillas del reloj.

Siempre he creído que en aquellos hombres rudos e indómitos latía el espíritu carlista. El bisabuelo parece el representante más excelso. Cerrados a cal y canto en su altozano, habitantes del mismo lugar que pisaría yo décadas más tarde, percibían cualquier novedad como una agresión.

Cuando digo carlista no me refiero a las contingencias relacionadas con las guerras del siglo XIX, sino a una corriente más subterránea, más profunda: un espíritu puro y ancestral por el que rechazaban todo atisbo de transformación, cualquier cosa que modificara lo que conocían de siempre, lo que siempre había sido así. Eran roles heredados y marcados en los gestos y en las palabras con el mismo vigor que herraban a las vacas en el muslo.

Cuando comprobaba que no podía seguir leyendo el

periódico porque mi padre se había empeñado en apagar la bombillita y, efectivamente, oscurecía, me entretenía mirando las pajuelas chamuscadas que había gastado para limpiar las barricas. Y volvía a olerlas por si encontraba el rastro de no sé muy bien qué.

–Lo vi claro enseguida, cuando llegué aquí. ¡Esta gente llevaba cincuenta años de retraso! Mi madre y yo lo decíamos a menudo –me contaba la mía, mi madre, cuando recordaba sus primeros años de casada.

Con una ecuación lógica podríamos deducir que la arquitectura mental de mi padre se parecía más a la de alguien que podría ser mi abuelo. Cada parte de mi familia encarna un modelo campesino muy diferente: la rama paterna es de propietarios de poca monta venidos a menos; la materna es de campesinos nómadas que llegaron de los Pirineos y poco a poco, trabajando tierras de otros y yendo de aquí para allá, se establecieron en el llano, cerca del mar, pero sin llegar nunca a tocarlo.

Según los documentos existentes, los propietarios pelagatos nunca se movieron del punto que ocupaban en el llano, tierra adentro. No se movieron ni física ni mentalmente. Solo la tierra ha ido menguando a fuerza de malvenderla. A pesar de todo, el vínculo feroz con el terruño pervive como una muela que no te quieres sacar, aunque te juren y perjuren que es mejor extraerla. Esa ligazón pervive en todos menos en mí.

Ambas ramas vivían a una distancia parecida de Barcelona (los nómadas, quizá un poco más lejos), pero el universo que acarreaba la una no tenía nada que ver con el de la otra. Es como la concha del caracol, que a unos parece que los aplasta y a otros los hace ir más ligeros y los fortalece.

Aunque iban con una mano delante y otra detrás –así lo decía mi madre–, los campesinos nómadas conservaban la curiosidad por la cultura, por las narraciones orales, por el humor incluso: las canciones que cantaba mi abuelo cuando trabajaba en el campo, el teatro que hizo en el pueblo con sus hijos –ayudó a construir el local en el que se hacían las funciones en plena posguerra–, los cuentos que contaba mi abuela al amor del fuego...

–En cambio aquí solo los oías decir: «Los que hacen teatro al final se entienden. Los que van a la fábrica al final se entienden.» No sé cómo lo hacían, pero al final ¡seguro que todo el mundo se entendía! –Y mi madre se echaba a reír. Cuando hace estas caricaturas se troncha de risa antes de terminar la frase. Y nos reímos las dos del mundo antiguo que nos ha tocado en suerte–. Es que, ya ves, eran muy cerrados de mente.

Mi padre sí que fue a la fábrica. El campo ya no daba para nada. No hacía nada más que trabajar. De lunes a sábado, en la fábrica –horas extras, sábado incluido–; y los ratos que le quedaban del día y de la semana, en el huerto y con el ganado. Mi padre siempre fue una mula de carga. Nunca hicimos excursiones ni nos fuimos de vacaciones.

Lo más lejos que viajaron mis padres fue a Valencia, cuando se casaron; y, cuando todavía no habíamos nacido ni mi hermano ni yo, alguna vez a Puigcerdà, a ver a una tía abuela de mi madre. Nunca fuimos juntos a la playa. Nuestros padres no sabían nadar y el mar les daba urticaria. Nunca salimos a cenar fuera de casa. No es que me pese. Era así y se acabó. Sin embargo, funcionaba tal como era, con una lógica propia, aunque fuera la lógica del rasero. Funcionaba, te enseñaba cosas. Lo supe después. Eran los últimos coletazos de un mundo en vías de desaparición.

Por remotas que puedan parecer estas escenas, no lo son. No van más allá de los años setenta y ochenta del siglo pasado. Con semejantes credenciales, resulta entretenido imaginar lo que debió de sudar mi padre en la excursión que hicimos para ir a renovar el DNI. Otro trayecto normal sublimado al podio de las Excursiones. Es justo escribir esta con mayúscula por la huella que me dejó en la memoria. Mi padre, mi hermano y yo tuvimos que coger el tren para ir a Sant Andreu Comtal, donde había una comisaría para estos trámites. A Barcelona solo íbamos al médico.

No era habitual ir a un sitio con papá y sin mamá. Por algún motivo logístico que desconozco, ella no pudo acompañarnos y él se quedó al frente de la empresa. Para mi padre debió de ser como una odisea, porque solo circula en un ciclomotor y ha cogido el tren muy pocas veces.

Es el primer recuerdo que tengo de un tren, cuando todavía se podía fumar. En un lado había un cenicero en el que al final la niña metería los dedos para ver lo que había dentro. No creo que nos paráramos a tomar un chocolate, ni una Fanta ni un dónut, por decir cosas pintorescas que me hubieran gustado. Pero me ha quedado el impacto de la primera expectación por salir de los límites conocidos, de las fronteras minúsculas, del mapa marcado y consabido que eran para mí el barrio, la autopista y el pueblo.

Los límites de casa estaban clarísimos. Lo confuso, lo nebuloso, era todo lo que quedaba fuera de estos límites. Y para mi padre todavía lo es. Por el trabajo de la editorial he tenido que ir alguna vez a Londres, a Tarragona o a Sevilla. Por eso, como la niña que quiere que la bombillita de la Casa Vieja siga encendida a toda costa y busca la prueba irrefutable, le pregunto a mi padre: «¿Dónde crees que está esta ciudad?» No sabe si Tarragona está al norte o al sur; Sevilla podría estar a doscientos kilómetros o a cuatro mil; y Londres, ubicado en otro continente. El mundo exterior es para él una forma inescrutable, como lo sería una ballena muerta que apareciera en el río del pueblo. Este vivir de mi padre, fuera del tiempo o a destiempo, no deja de ser un fenómeno sobrenatural. Es una persona que nació en los años cuarenta del siglo XX y se comporta como si lo hubieran abandonado en el XIX, ajeno a un mundo que empuja por la nuca, como a un detenido, hacia la interconexión vacía, hacia la ubicuidad neurótica. Menos mal que mi madre domina las coordenadas geográficas más esenciales y siempre ha sabido dónde tiene la mano derecha y la izquierda.

A veces me parece que ir a hacer los carnets tendría que considerarse el primer tanteo de reconocimiento de la propia identidad. El hecho de que aquel día mi padre no perdiera a ningún hijo en Sant Andreu y que volviéramos a casa invictos y con un resguardo del DNI en el bolsillo debió de tener un mérito incalculable. Sea como fuere, el efecto que me hizo solo es comparable con el domingo que nos llevó a segar un campo de trigo. El campo estaba arrinconado en la parte sur del pueblo como un trasto de tiempos inmemoriales. Allí terminaba el pueblo y flotaban los aullidos de un tiempo nuevo a medio hacer: cuatro naves industriales antiguas y calles anchas, mal asfaltadas, con una varicela de baches.

El propietario del campo se había puesto enfermo y, como «antes los campesinos siempre se ayudaban; ahora ya no, ha cambiado mucho todo», mi padre y algunos hombres más fueron a segarlo. La semana siguiente volvimos a aquel diorama de armonía desbaratada para hacer las balas de paja. Cuando terminamos, intentamos cazar unos conejos que corrían desperdigados. Yo, que me había pasado la mañana en un ribazo, me apunté, pero los conejos se me colaban rápidamente entre las piernas y se me escapaban de las manos. Parecía que se burlaran del juego inesperado que les planteábamos. Finalmente volvimos a casa en un camión. Mi hermano y yo íbamos arriba del todo, al aire libre, sentados en las balas de paja como si fueran un trono. Era una escena triunfante, de alcanzar el cielo. Quizá no estábamos tan alto como creíamos, porque los ojos de los niños amplifican las medidas, pero notábamos a flor de piel la velocidad y el viento, la evasión y la aventura, las posibilidades de un mundo que observábamos por primera vez desde un mirador mucho más sofisticado que el de la autopista.

Llegamos al barrio como si fuéramos los reyes. Reyes de aquel verano que asomaba entre las perladas espigas. Seguramente soltamos un grito jubiloso para desatar la impresión rudimentaria de haber alcanzado la cumbre. De mayores he vuelto a hablar con mi hermano de aquel día: el recuerdo compartido coincide en la felicidad exultante en lo alto del camión y difiere en cuanto a si cazamos conejos o liebres.

Me gusta creer que por la huella que me dejó aquella mañana de balas de paja se me despierta un runrún cuando llega junio. No creo que una cosa así se pueda transmitir por el cordón umbilical. Los destellos que estallan en los campos son los antiguos carretes de fotos que esperan a que los revelen. Solo es necesario saber desgranar el vaticinio y que alguien haga el álbum completo. Y alguien que se entretenga mirándolo. El brillo de estas piscinas amarillas a punto de siega te desafía y te invita a la inmersión. En el verano o en lo que sea. Lo que prefieras. Salida o huida. A lo mejor da igual. Yo a estas alturas todavía no tengo clara cuál es la mejor maniobra. Pero cuando llega junio aguzo el oído en los pocos campos de trigo que quedan en el pueblo. Aquel lo abandonaron.

Cuando mi madre llegó al barrio, lo primero que la sorprendió fue que el aire apestaba a cerdos. Ni el ruido de la autopista ni el del tren, ni la proximidad del cementerio ni la falta de urbanización, sino el tufo a cerdos. Ocupaban unos cobertizos que había debajo de casa. Mi padre cambió los cerdos por ovejas antes de que naciéramos mi hermano y yo. En el campo se aprovecha todo y, con el tiempo, llenó también un extremo de los cobertizos con unas cuantas cabras.

Que nadie se imagine a los animales pastando por unos campos cálidos de cuadro holandés, en un ambiente de requesón con miel, con un perro de anuncio corriendo detrás y un presunto pastor acariciándolos. Aquel mundo campestre –el que he olido yo– no es para románticos. Las cabras y las ovejas vivían en los establos, siempre encerradas, concentradas en la función de comer y reproducirse.

Sé perfectamente que no podría convertirme en una especie de neorrural. Cuando se conocen las maldiciones que salen del fondo del buche y puntean una de cada tres frases, cuando se ha oído el martilleo de la repetición como la única vía de supervivencia posible, los adornos estorban.

Yo he conocido el mundo campesino de refilón. Tan de refilón que todavía me cuesta saber cuándo se plantan las patatas: es más fácil saber cuándo se grillarán. Pero lo he conocido lo suficiente para que esa visión mistificadora de la tierra me resulte ajena.

Si no sucede ningún desastre –haré todo lo posible para que no suceda nada–, la niña que voy a traer al mundo se criará precisamente en Sant Andreu, que es donde nos fuimos a vivir juntos Simó y yo. No sé si será por el don que tengo, según me dijeron un día, pero es innegable que mi brújula vital ha tenido ciertas ganas de juerga. O, al menos, algo parecido al sentido de la oportunidad. O de la casualidad. Para coger el tren e ir a la oficina, en el centro de la ciudad, tengo que pasar todos los días por delante de la cúpula de la iglesia de Sant Andreu. La misma que, cuando fuimos a hacernos el carnet de identidad, me pareció del tamaño de una catedral.

Así pues, mi hija podrá ser neorrural si quiere. Como algunas amigas mías de la universidad. Por naturaleza, la especie neorrural tiene que pasar en primer lugar por una fase de modas y prácticas urbanas que después tendrá gran necesidad de transformar. Entonces, de esas modas y buenas prácticas surge una aproximación moralizante a la tierra. Para existir, el neorrural deber tener un fondo de *politesse*. Siempre me ha hecho gracia la escrupulosa sonoridad de esta palabra francesa. Considero que sintetiza la idea de pulcritud formal, de un limpio de polvo y paja que es condición previa para después desplegar la tarea evangelizadora, para iluminar la tierra que pisan. Puede que mi padre no se haya acordado de adelantar el reloj, pero el paso del tiempo tampoco ha afectado al profetismo.

«Ah, cuántos miramientos tienen ahora», repite mi padre, completamente entregado a una batalla silenciosa contra los productos ecológicos que solo se libra en su cabeza y en el comedor de casa. Sin discursos articulados sobre los efectos de los pesticidas en cantidades industriales, él lo único que sabe es que «el ensulfatar» fue un gran cambio que le salvó la cosecha del huerto y le evitó complicaciones. Y lo demás son cuentos. Me lo imagino recitándole la cantinela de los miramientos a una hipotética nieta neorrural y me entra la risa. Aunque es verdad que, delante de Simó, tiene la costumbre de atemperar las filípicas contra el avance incomprensible de las modas de estos tiempos. Si por un momento pienso en presentarme en casa con Jonás, creo que le estallaría la cabeza... Frena, Mila, y vuelve al recuerdo.

Tampoco tuve una relación bucólica con las ovejas y las cabras. Lo digo en el sentido de que no me afectaba que mataran a los corderos y a los cabritos y nos los comiéramos. El periodo de relación con estos animalillos estaba acotado. Lo entendías sin enfado ni eufemismos, con la funcionalidad que se otorgaba a cada cosa de una forma natural.

Las ovejas conformaban una masa más uniforme que las cabras. No era fácil distinguirlas por el nombre. El que se ganó un apodo fue un morueco, el Mala Pinta, que un día embistió a mi padre y lo empotró contra la pared. Tenía el morueco una mirada ceñuda y amenazadora, además de unos cuernos retorcidos. Hay una foto en la que mi hermano está subido encima del Mala Pinta, le agarra los cuernos como si fueran el manillar de una moto. Es un hermano adolescente que está dando el estirón (ese momento desgarbado y asimétrico del cuerpo), lleva una camiseta roja ceñida y unos pantalones de chándal, todo de una época determinada. Sería una de las pocas veces que el Mala Pinta se dejó coger. Mi padre le propinaba buenas retahílas de maldiciones para obligarlo a obedecer:

–¡Cagüendiez! ¡La madre que te trajo al mundo, rehostia! ¡Estate quieto de una puta vez! ¡Que te hincho a hostias!

El hombre y el morueco batiéndose por ver «¡quién manda aquí!».

Yo, cuando me enfado, no suelto la misma salmodia que mi padre, pero se me ha pegado la tradición de las maldiciones. No puedo negar ni ocultar que las conozco. Con el tiempo, he visto que son mi parte asilvestrada. Hay quien hace ostentación de las maldiciones, como para parecer más auténtico o más temerario. Pero yo, de jovencita, tenía que esforzarme para que no se me escaparan. En alguna reunión de trabajo llegué a sudar por no soltar un «pero ¿qué cojones decís, hostia puta?» que me quemaba la lengua. Se han dicho toda la vida. Las he oído toda la vida. Como espita de escape para la mala leche, como vía de expresión exacta. A veces, una grosería condensa con una eficacia retórica inigualable el sentido del volcán que está a punto de entrar en erupción. Y, al fin y al cabo, la grosería actúa a modo de canal civilizado que reconduce la lava. No es fácil decidir qué hacer con la rabia. Y a menudo no se puede decidir. Cuando me enfado mucho, me pongo roja como un tomate, como le pasaba a mi abuelo.

Al oír las maldiciones en mi propia boca, por lo general en un redil de confianza, no me parecen tan bárbaras como me han enseñado que suenan... Simó me insiste mucho en eso. En los demás no las tolero bien: cuando no las encuentro ridículas, me parecen primitivas o violentas. No tengo término medio. Sin embargo, la noche en que conocí a Jonás me llamaron la atención sus maldiciones de argot hondureño, y también las decía como si se le escaparan. Sonaban suaves e incluso muy ocurrentes.

Mi adaptación al medio ha pasado por un aprendizaje

obstinado de lo que se puede decir y de lo que no. No hay que decir todo lo que se piensa ni todo lo que se ve aunque sea cristalino. Gran parte del *modus operandi* social prefiere que no se diga. Esto también he tenido que repetírmelo. Y hay que hacer un poco como quien oye llover porque, si no, en cualquier momento se ponen todos los pelos de punta. El escenario del quedar bien, del mantener la fachada profesional, exige unos ornamentos nunca vistos en mi casa.

A veces me parece que fui una niña que salió de repente de la selva amazónica y se encontró inmersa entre rascacielos y coches que daban bocinazos atrapados en el caos urbano. Pero la selva era entrañable para mí, con las ovejas y las cabras, las autopistas y las fábricas, con palabras que solo se decían en casa, viviendo en las afueras del pueblo y de un cúmulo de cosas más. La banda sonora era tal cual, sin filtros, unas expresiones que se soltaban a bocajarro, el efecto sincero del choque de dos placas tectónicas, entre el hermetismo y la astracanada. De la colisión entre lo tierno y lo salvaje surge un géiser que no siempre se entiende desde fuera. Y a veces todavía me resulta difícil explicármelo. Y no sé si sabré hacérselo entender al ser que llevo dentro. ¿Sabrá algo ya de este movimiento sísmico? ¿Le dará pinchazos el revoltijo de entresijos que lleva dentro su madre y del que no sabe cómo deshacerse? Simó y yo pronto elegiremos el nombre.

Entre los animales de nuestra selva había una cabra, la Grisa, muy mansa, que tuvo tres cabritos, grises también. Antes del parto, que fue largo, la Grisa se puso muy gorda y pesada. Dolía verla. Pero al final sus crías, exactamente grises, pudieron reconocerse por el distintivo cromático: eran todas de la misma paleta de colores. Y si un día se hubieran puesto a repasar su álbum, como yo el mío, no se les habría planteado ninguna duda genealógica sobre su origen. A los cabritos de la Grisa no se les habría ocurrido pensar –si es que había cabritos dispuestos a considerarlo– si eran adoptados. ¿Con qué ojos verá mi hija su álbum? ¿Pondrá mala cara o encontrará la armonía de los cabritos de la Grisa?

En una foto estamos mi madre y yo acariciando a los cabritos grises y dándoles de mamar. La Grisa no tenía leche suficiente para todos y se había quedado débil después del parto. Llevo unos pantalones viejos de chándal del cole, que ya me quedaban cortos, unas zapatillas usadas, finas y embarradas de estiércol, y los estrechos hombros sostienen una cabeza grande con el pelo cortado al estilo paje. Es una imagen de las que enternecen y sonrojan a partes iguales. A diferencia de la fetidez de los cerdos que sobresaltó a mi madre al principio, la del estiércol de las ovejas y las cabras no me molestaba especialmente. Solo resultaba cargante en verano, cuando era denso y casi asfixiante y, en algunos momentos, las pulgas se entretenían allí. Supongo que las fotos se hicieron porque mi padre nos imploraría un documento gráfico.

–Venga, hombre, haced unas fotos a las cabras, que, si no, no tendremos ninguna.

Y lo decía en un tono como si llegáramos tarde y como si alguna vez hubiera procurado guardar memoria fotográfica de otros elementos domésticos, como, por ejemplo, yo, sin ir más lejos.

Ahora nos pide que hagamos fotos a los frutales que todavía planta. Se encarga Simó, que tiene más paciencia que todos los demás juntos. Mi padre le encuentra no sé qué gracia insondable a hacer retratos de un melocotonero o de un cerezo, solos, como un bodegón, sin figuras humanas al lado. Como si quisiera admirarlos por sí solos, como si quisiera encuadrar lo que nadie se parará nunca a mirar. Quizá sea su forma de enmarcar el valor del trabajo y el fruto que después compartirá generosamente con nosotros (siempre que vamos a ver a mis padres volvemos cargados). Lo más probable es que yo añada una literatura que a él ni se le ha pasado por la azotea. Así suele ser, y tampoco hay que dramatizar, como con otras muchas cosas. Me lo repito: no hay que dramatizar.

De vez en cuando se oía un ratón en los establos, y no era raro que entre unas matas que rodeaban un estanque se enredara una viboraja o una ratuza, como las llamaba mi abuela para aumentar el efecto de asco. Una viboraja y una ratuza son más repulsivas que una víbora y una rata. Los erizos provocaban un temor diferente. Por lo general siempre se camuflaban en el huerto o entre los conductos del agua de riego. Mi padre los aniquilaba sin dudar tan pronto como los detectaba. Me daban miedo las púas que sacaban para defenderse y a veces soñaba que iba por el campo con mi padre y pisaba uno. Entonces mi padre sacaba una pala o la azada y empezaba a clavarle la herramienta una y otra vez hasta que lo reducía a trocitos. Lo que le había visto hacer fuera del sueño. Una carnicería, desde luego. Pero en aquel momento, mi padre me parecía un héroe.

Un día volví del colegio en estado de shock. En ciencias naturales nos habían explicado algunas funciones de la cadena trófica y nos pusieron el ejemplo del erizo. «Son importantes porque se alimentan de insectos, lombrices de tierra, lagartijas, ranas, ratones... Cada animalito tiene su función. No podemos pensar que unos son más importantes que otros. Hay que respetar la función de los erizos...» No dije que mi padre los descuartizaba porque se metían en los campos sembrados. Presentí que no lo entenderían.

Pero, al llegar a casa, dejé constancia de mis dudas deontológicas.

–Papá, ¿por qué matas a los erizos? A mí me dan asco, no creas, pero la profe dice que son importantes para la cadena trófica.

–¡Qué manías les entran ahora! Yo llevo alpargatas, ¿no te parece que pueden pincharme? En verano están por todas partes.

–Pero dice que no hay que matarlos, que, si no, no se comen a los ratones y entonces...

–¡No te fastidia! Ahora habrá que andar con cuidado para no matar a las moscas ni a las hornigas...

–Se dice hormigas, papá, hor-mmmi-gas...

Y al día siguiente volvía a decir hornigas.

Cuando nos íbamos a dormir, de vez en cuando me hacía compañía un «beeee» aislado. Una compañía extraña en medio de la oscuridad. Me gusta creer que velaba mi sueño y me acunaba, que sabía que en el piso de arriba había una niña que soñaba con otros horizontes, más allá de la autopista, de los muros del cementerio y de los polígonos, más allá de los preceptos de roca calcárea: «Las chicas que hacen teatro al final se entienden. Las que van a la fábrica al final se entienden...»

–Sería una oveja que estaba preñada. Por lo general no se las oía de noche –puntualiza mi madre con asepsia científica cuando se lo pregunto con la intención de modular el volumen del recuerdo y procurarme una explicación legendaria. Hace unas semanas que me cuesta dormirme.

Tengo un recuerdo borroso del nacimiento de un cordero o de un cabrito. Supongo que vi unos cuantos y que al final se han fundido en una sola imagen. Comparece ante la memoria una charca que cae, y después un objeto delgado envuelto en una grasa transparente que lo impulsa hacia abajo, todo se precipita en tromba: una caída resbaladiza y brusca y ya está en el mundo. Y el desmadejado objeto intenta dar los primeros pasos sin suerte, resbala y tiembla. Y mi padre lo limpia con paja y lo pone a mamar. Y el sufrimiento de la oveja, como si le doliera el estómago sin parar, solo empieza a ceder cuando consigue expulsarlo al mundo.

A veces la oveja tardaba un poco en entenderse con el cordero. Algunas madres rechazaban al recién nacido –una estampa de una inquietud expectante– y entonces teníamos que darle de mamar nosotros, cosa que, huelga decirlo, resultaba la mar de divertida. Cuando el cordero ya estaba ahíto o le dabas demasiada leche de golpe, se le caía por los lados y movía el hocico buscando una comprensión que todavía no sabíamos interpretar. Veo estas imágenes con una claridad que da miedo. No sé si con ellas contrarresto una angustia que no conozco, si es que las quiero conservar para el ser que va a venir o si, por último, me estoy volviendo una blandengue sin remedio y el proceso es irreversible. En otros momentos se me pone un runrún en la cabeza que insiste en pensar en una serie de recuerdos y no en otros, pero este es diferente. Estoy de baja en el trabajo, tengo que quedarme en casa y cuidarme y, entretanto, parece que la memoria quiera entretenerme, jugar conmigo. ¿Soy yo esa Mila con las zapatillas manchadas de estiércol, al lado del abrevadero del establo de las cabras?

Tendría que estar arreglando los armarios para cuando nazca la niña; tendría que estar haciendo todo lo que se ponen a hacer las madres un día, pero si nunca he sido una chica como las demás, ¿por qué iba a serlo ahora de pronto? Solo tengo ganas de pasar el rato con los cajones de los recuerdos. Supongo que será otra forma de ordenar. Los recuerdos me hacen compañía y echan a los malos espíritus (¡parezco mi madre, hablando de malos espíritus! Pero ahora este espíritu mío tiene cara y nombre, el de Jonás), y, sobre todo, diluyen un poco la sombra de la duda, que es espesa como la niebla que no escampa, como las persistentes nieblas de la infancia que se ha llevado por delante el cambio climático.

La época del esquileo de las ovejas me asalta con mayor claridad si cabe. Tal vez por el aura de día festivo que la rodea. Pau, el Esquilador, venía en primavera, antes de que el abrigo diera demasiado calor a los corderos. Con la ayuda de mi padre y otros hombres, amontonaban toda la lana al aire libre en un tendal en el que después se formaba un gran montón, una montaña. Lejos de bucolismos, ya no se veía el empedrado del tendal, lo habían tapado con una capa de cemento. El cemento era un material preciado para mi padre, la quintaesencia del progreso (o una de las pocas cosas del progreso que asumía con satisfacción).

Siempre lo llamaba portland, es decir, una clase de cemento. El evocador sonido de portland abría la máxima grieta internacional que entraba en casa. Me parecía una manera cosmopolita, más sofisticada, de nombrar lo que el resto de los mortales denominaba cemento. Era un efecto muy parecido al que me producía el nombre de la clase de patata que solía plantar mi padre: la kennebec. Llamarlas patatas era lo normal, casi vulgar, en cambio llamarlas kennebec era otra cosa completamente distinta. En el colegio nadie hablaba de portland ni de kennebec. Entre el uno y la otra me hacía la ilusión de haber visto mundo.

Bueno, pues en el tendal de portland se formaba un castillo de lana lo bastante grueso para que, en cuanto se terminaba el trabajo de esquilar, mi hermano y yo nos entregáramos a nuestro deporte favorito: tirarnos encima como si fuera un parque de atracciones para nosotros solos. Nunca habíamos ido a un parque de atracciones. ¿Qué falta nos hacía? Nuestra pirámide cumplía las funciones lúdicas de sobra, hasta que alguien nos decía:

–¡Parad ya, que os vais a hacer daño y os vais a quedar hechos un asco!

Y es cierto, desde luego, que se nos pegaba a la blusa y al chándal un tufo difícil de quitar... y difícil de olvidar. La ropa y las manos, ennegrecidas por la roña de la lana. En alguna foto se nos ve a mi hermano –ya un poco grandullón– y a mí –todavía con el pelo al estilo paje– poniendo posturitas en lo alto de la montaña de lana, haciéndonos gracia con nuestras monadas, como si fuera un videoclip. Como si nuestro desaliñado chándal pegara con una de las canciones del jovencísimo George Michael que en aquella época triunfaba con Wham. *«Wake me up before you go-go.»* Y venga a tirarnos en plancha y a rebozarnos en la lana. *«Don't leave me hanging on like a yo-yo, wake me up...»*

Si alguien nos espabilaba de verdad era el Esquilador. Cuando se terminaba el trabajo llegaba la hora de los chistes. Nos desvelaba a fuerza de carcajadas. Desplegaba ingenio a espuertas, un ingenio de los que no se enmarcan en títulos y se cuelgan en la pared, pero que se perciben desde lejos. Porque es eficaz, porque es de verdad.

–A ver, niña, ¿quién te parece mayor, el sol o la luna?

Y yo me ponía a pensar buscando la posible trampa.

–Piénsalo bien, que la pregunta no es fácil.

Era un as creando intriga narrativa, proponiendo una expectativa que yo aguardaba con deleite, como el niño que a la hora de comer quiere zamparse el pan con chocolate que le han prometido para la merienda. Y al final, murmuraba yo, titubeando:

–Pues... a lo mejor es mayor el sol, porque tiene que calentar todo el mundo, ¿no?

–Pues es la luna... ¿Y sabes por qué? –Pausa dramática de una eficacia contrastada...–. ¡Porque la dejan salir de noche!

Y estallábamos en carcajadas, y se nos contagiaban su risa y sus ojos casi cerrados y húmedos de risa, hasta que se preparaba para soltar otro.

–Fíjate, yo de pequeño podía ir muy poco a la escuela. Muy poco. –Dominaba estos énfasis del relato–. Solo iba algunas mañanas, y por la tarde, a cuidar las vacas. Pero tuve buena suerte con la maestra, Amparo, todavía me acuerdo.

Yo lo escuchaba con mucha atención. Había algo mágico en las cosas que contaba.

–Amparo me veía venir, seguro –y el Esquilador ponía cara de pillín y echaba un vistazo de reojo para comprobar la reacción del público–, porque un día me dijo: «Oye, Pau, como no vas a poder aprenderlo todo, es mejor que aprendas solo una cosa, y que sea a sumar y multiplicar. Nada de restar y dividir. Tú solo a sumar y multiplicar, así te saldrán mejor las cosas.» Y así lo hicimos. Y no ha salido mal, ¿verdad?

Yo me desternillaba. Nos lloraban los ojos de tanta risa, a mi madre, a él y a mí. Mi hermano enseñaba los dientazos y soltaba unos ja, ja graves, y mi padre lo miraba con perplejidad, sin saber si creerse el chiste o no. Solo era capaz de decirle: «Coño, Pau, tú siempre tienes algo que contar», y le daba unos manotazos en el hombro de esa forma tan exagerada que tiene él de dar manotazos a la gente en el hombro.

El Esquilador hacía reír hasta a la abuela, que era una mujer que, por costumbre, tenía el tono bajo. Después de preguntarle qué tal se encontraba de salud, en un visto y no visto le daba la vuelta a la tortilla del estado de ánimo.

–He hecho muchos tipos de trabajo para salir adelante y he visto de todo. Una vez, en una casa a la que llevaba conejos, me contaron una muy buena. Resulta que compraban la leche en una granja que estaba un poco más allá de su casa. Y un día, la mujer, que tenía la mosca detrás de la oreja, cogió dos cacharros para ir a buscar la leche.

Lo seguíamos con una atención entregada, ansiosos por saber por dónde saltaría el relato hasta provocar los mil estallidos de carcajadas.

–Bueno, pues llega ella a la granja con los dos cacharros y le preguntan: «Ah, ¿hoy quiere más?» Y dice ella: «No, es para que me ponga la leche aquí y el agua aquí, que ya me las mezclaré yo.»

La salida, en forma de sopapo, nos sorprendió una vez más.

–Es lo que se decía antes, que bautizaban la leche, ¿verdad? –decía la abuela riéndose.

–Ya lo creo, antes siempre echaban agua a la leche –remataba mi padre.

Por culpa de ese humor liso y raso, sin corrección ni permisos, acabábamos con agujetas en la barriga. La abuela se llevaba las manos a la boca coquetamente para evitar sustos con la dentadura postiza, que se le movía de una forma tan ostensible como peligrosa.

Y a continuación Pau reanudaba el relato, que adquiría un aire de ser exactamente lo que quería contar, de ser la historia definitiva.

–Veréis, hubo una época en que las pasé canutas. Cuando me quedé solo con mis tres hijos, trabajaba como un negro para salir adelante. Tuve muchas dificultades, desde luego. –Aquí se ponía serio, como si estuviera diciendo una cosa tremenda y al mismo tiempo haciéndonos una confidencia–. Cuántos quebraderos de cabeza. Pero lo pensé enseguida (yo pienso muy deprisa): sin trabajo, tres hijos. Así que me dije: «Si vas a una casa y preguntan "¿Quién es?" "¡El de las desgracias!", te contestarán: "Dile que no estoy."» ¿Y sabes lo que hacía? –Se dirigía a mí–. ¿Te acuerdas de la Pantera Rosa? Pues cuando salía de casa muy temprano por la mañana, me iba poco a poco, sin hacer ruido, como la Pantera Rosa. Cerraba la puerta y ¡pum!

–¿Por qué? –preguntaba yo con mucha curiosidad.

–¡Ah, para que los quebraderos de cabeza no me oyeran! Cuando ya estaba fuera, ¡cerraba la puerta de golpe para que se quedaran dentro de casa!

Esa fábula de doble filo nos desarmaba y volvíamos a partirnos de risa. Y Pau recuperaba la expresión jovial.

–¡Lo único que me faltaba era que me siguieran los quebraderos de cabeza! Y me iba por las casas, les contaba unos chistes, cagüen todo lo que se menea, y preguntaban:

«¿Quién es? ¿Pau? Dile que pase, que nos vamos a reír un rato» –remataba con los ojos llorosos–. Y así lo hice y así salí adelante.

Al ver que yo me mondaba y que se me contagiaba la risa, exclamaba:

–¡Hay que ver lo lista que es esta niña!

Y yo, en mi fuero interno, no sabía si lo decía de verdad o de mentira, porque muchas cosas de las que aseguraba sonaban un poco a cuento, pero me gustaba que me lo dijera. Ojalá estuviera ahora aquí y me convenciera de que era verdad. A lo mejor, aunque todavía no nos hubieran dado la noticia, el Esquilador se refería a mi don. No abundan las noticias que nos ayudan a seguir adelante. Lo demás es barullo del que no vale la pena informar. Afortunadamente existimos antes que la noticia.

Me parece que habité un mundo de leyendas poblado de seres semifantásticos. Algunos de esos seres eran los viejos. Quizá me lo parezca porque los conocí poco y porque cargaban con el peso de un silencio y de una historia que también se contaba a medias. Quizá todo se resuma en que, en aquella época, para mí no había más mundo que ellos. Eran viejos de una época distinta a la de los demás, una época más lejana y destartalada que la de los abuelos que iban a buscar a otros niños al colegio. Los abuelos de los otros parecían atléticos. Los míos, un carricoche abollado. A mi hermano y a mí siempre venía mamá a buscarnos.

Los abuelos vivían justo enfrente de nosotros, es decir, en el piso que había construido el abuelo encima de la Casa Vieja. Llegó un día en que el abuelo se murió y la abuela se quedó sola, y empezó a pasar las noches en casa. Al principio solo cogió las pertenencias imprescindibles e iba y venía. Unos años después, su salud empeoró y se quedó a vivir con nosotros. Como a mis padres no les sobraba el dinero, decidieron alquilar el piso para sacarle algún provecho. Así que fue necesario vaciarlo por completo. Fue como desvestir a un maniquí que tiene que ponerse otras prendas y que olvidará –en caso de que tenga memoria– que fue invierno y fue verano.

En casa solía haber poco movimiento, las principales noticias solo significaban leves alteraciones de la normalidad. Por este motivo el Vaciado Definitivo copó la portada del informativo del mediodía. Todos los días. La operación, que no dejaba de ser una señal del paso del tiempo, resultó laboriosa. Había que tomar muchas decisiones. Qué se guarda, qué se tira, qué obras se hacen... En la mesa no se hablaba de otra cosa. Mi padre se especializó en dar vueltas y más vueltas a los detalles más anodinos y mi madre se encargaba de poner en evidencia algunas de sus ideas de bombero. Él lo aliñaba todo con la fraseología habitual, exprimida hasta la extenuación:

–¡Sí, cuando las ranas críen pelo! ¿Pintar? Tú estás de broma. ¿No te das cuenta de que el piso es muy grande? Lo que hay que hacer es cambiar el suelo; el que hay es muy viejo y está hecho trizas.

Así planteaba la última idea que le había dado un albañil que se interesaba por alquilar la casa y, de paso, por hacer negocio, aunque finalmente no haría ni lo uno ni lo otro. Y en las obras entraría la capa de pintura y respetar el suelo de baldosas, como defendía mi madre.

–Ya le he dicho al albañil: a mí tú no me la das, las baldosas no se tocan por ahora. ¡A otro perro con ese hueso! –proclamaba mi padre unos días después, convencido de todo lo contrario, como si nunca hubiera defendido otra cosa.

Una vez me llamó la atención una entrevista en la que una historiadora resumía la condición de un antepasado suyo de la siguiente forma: «Mi bisabuelo era carlista, naturalmente, porque en mi familia somos todos el espíritu de contradicción. No creo que tuviera ningún otro motivo.»

Fue como una iluminación. Ese mismo espíritu era el que inspiraba las afirmaciones dislocadas de mi padre. Lo que había que hacer con una cosa u otra se convirtió en cuestión de estado y en tema único de unas cuantas comidas más. Uno de los debates más encarnizados, si se puede llamar debate y se puede calificar ostentosamente de encarnizado, fue a propósito de la pierna ortopédica del abuelo.

–¿Qué? ¿Vamos a guardarla? Lo mismo da si la tiramos –decía mi madre, que tiene los dos pies en la tierra y prefiere zanjar las tonterías cuanto antes.

Mi abuela y mi padre, que tendían a un sentimentalismo de corte conservador ante los cambios y lo desconocido, se resistían a desprenderse de la pierna.

No era porque la pierna ortopédica hubiera existido toda la vida. Mi abuelo la había necesitado un par de años, pero había quedado tan incrustada en el paisaje que les costaba mucho aceptar que había que deshacerse de ella. Después de tanto lidiar por ver quién se la ponía mejor –si la abuela, si mi madre, si las hijas, siempre mujeres y siempre con preferencias y categorías por parte del abuelo–, cuando murió, la pierna acabó detrás de una puerta. Como corresponde a los armatostes que cumplen la función de fantasmas en el universo infantil: se resisten a ser eliminados por completo.

Cuando abría la puerta de la casa de los abuelos de par en par, chocaba con la pierna ortopédica, de la que colgaban unas correas que servían para sujetársela al muñón, todo envuelto en plástico transparente y con bastante polvo. Hacía siete años que se había muerto el abuelo y la pierna ortopédica seguía allí, como la silla de ruedas de madera que años después utilizaría la abuela. De pequeña, me sentaba en ella y jugaba a ir de aquí para allá. Era una silla incómoda, te obligaba a tener la espalda muy tiesa.

No se entendía que sirviera para transportar a enfermos, más bien parecía idónea para caerse de morros al suelo cada vez que se atascaban las ruedas.

Cuando se murió el abuelo me dijeron que se había ido al cielo. No fue muy buena idea, porque, un día sí y otro también, les recordaba que se le habían olvidado la pierna y la silla de ruedas. Y los interrogaba sobre cómo se había ido y cuándo volvería a buscarlas. Y preguntaba por el pañuelo que se le había olvidado en la mesita, el de las letras bordadas. También es posible que mi don consistiera en machacar a preguntas.

Movida por una argumentación íntegramente racional, torturaba a mi abuela recordándole todas las cosas que se le habían olvidado al abuelo cuando se fue al cielo. Intentaba entender dónde se apoyaban las escaleras por las que se subía, cómo se llegaba y se volvía... Hasta que un día me dijeron que se había muerto y que ya no volvería. La noticia no me sorprendió del todo. Quiero decir que lo sospechaba. En el fondo, tal vez les preguntaba por el verdadero significado de la ausencia. ¿Qué quería decir estar muerto? ¿Adónde iban los muertos? ¿Qué pasaba con ellos? Tampoco la proximidad del cementerio facilitaba una respuesta viable. Precisamente por lo cerca que estaba no era creíble ni práctico que el abuelo hubiera dejado el barrio para instalarse en el cementerio. Con el tiempo dejé de preguntar. Pero todo es una impresión etérea, porque no tengo recuerdos propios de mi abuelo, solo lo que me han contado y lo que me han ayudado a recordar. Cuando murió yo tenía dos años y medio. Así es que solo lo he conocido a partir de recortes ajenos y, sobre todo, del mutismo y de las cosas que no dicen los demás. Es un retrato desenfocado, imposible e imperfecto que bascula entre las realidades afectuosas, las tapadas y las maquilladas, condenado a ser una sombra.

He soñado a menudo con la pierna ortopédica. Cuando se llevaron al abuelo al hospital y la pierna se quedó allí abandonada, dicen que me ponía a berrear de una forma estentórea. Me pregunto dónde la tirarían por fin. A finales de los ochenta todavía no se llevaba esta apariencia de administración bienintencionada de las cosas –no es más que apariencia– ni existía la recogida compartimentada de residuos. Me imagino la estampa de uno que sale a tirar la basura por la tarde, al oscurecer: con el cansancio de todo el día, se le olvidan las gafas y rápidamente la miopía construye castillos en el aire cuando divisa un armatoste en el contenedor. ¿Es una madera? ¿Son restos de una obra? ¿Un cadáver despedazado? ¡Pobre pierna del abuelo, si alguien llegó a entreverla!

Dicen que el abuelo tenía la costumbre de maldecir a todas horas y sin tener en cuenta la intensidad para nada. Pero solo maldecía en casa. Cuando salía, cuando iba al mercado y a almorzar en la Fonda Continental, que estaba en la Ciudad de al Lado, podía parecer el hombre más civilizado del mundo. Pero en cuanto cruzaba el zaguán de casa, y como si hubieran cambiado las condiciones de la gravedad, las maldiciones volvían a precipitarse en cascada. El espíritu de contradicción que identificaba la historiadora. Mi padre siempre le tuvo miedo. Pero después, él nunca nos puso la mano encima. Esta sería la buena noticia, la excepción y el progreso en la atascada rueda de perpetuaciones. Visto lo visto, mi padre no tuvo ningún referente que le sirviera de faro para empujar la rueda con más destreza, para saber más. Y dentro de esta rueda tortuosa, los abuelos de mi hija lo harán de una forma distinta, no como los míos –no tengo el menor interés en saber cómo lo harían en Honduras–, y seguramente todos estos personajes mal ataviados no significarán nada para ella. Tal vez la sorpresa lacerante surja de imprevistos que ahora ni se atisban en el horizonte. Y por lo tanto no hay por qué darle más vueltas. O, en todo caso, solo vale la pena entretenerse en ellos para hacer literatura.

Por lo visto el abuelo me mimaba a su manera (a mi hermano no, siguiendo las arbitrariedades que eran marca de la casa) y me daba gajos de naranja si se lo pedía. La doctora me había prohibido las naranjas para evitar las diarreas. Pero siempre me han encantado los sabores ácidos. Olores tóxicos y sabores ácidos. Cuando mi madre volvía de recoger a mi hermano del colegio –¡aquel modesto Ford Fiesta era nuestra conexión con el mundo!– y el gajo de naranja hacía su recorrido por mi sistema digestivo, resulta que tenía que reñir al abuelo. La diarrea era la prueba de que me había vuelto a dar naranja.

–¡Le he dicho que no le dé naranja, que no le sienta bien!

–¡No ha sido más que un gajo!

Un día, el abuelo y yo nos encontramos cara a cara en el pasillo de su casa. Yo estaba en el medio, exactamente en el punto por el que tenía que pasar él. Solo podía pasar uno de los dos. Mi madre me cuenta la escena como si fuera un western. Y es que no podía parecer otra cosa, sobre todo teniendo en cuenta que en aquella casa –la del abuelo y la mía– siempre se había oído el chirrido entre el viejo mundo que se extinguía y el nuevo que se esforzaba por abrirse paso. Y, ante este chirrido fastidioso, el Salvaje Oeste persevera en su carácter indómito; el conflicto se hace palpable hasta en los mínimos detalles.

Yo estaría trasteando en el suelo, jugando a mis anchas, y el abuelo, muy débil de salud pero con el mal genio siempre listo para soltar una patada, exclamó:

–¡Quita de en medio, cagüen mi estampa, que tengo que pasar!

El hombre tenía este estilo preciosista, pero yo no me acuerdo.

Su ruego se puede considerar blando, habida cuenta del temperamento que le atribuían. Toda la vida me han recordado que, unos días más tarde, cuando era yo la que quería pasar por un hueco estrecho que dejaba su corpachón robusto, con buena memoria y sin un temblor en la voz, le solté:

–¡Quita de en medio, cagüen mi estampa!

Mi madre temió que el abuelo fuera a soltar un exabrupto peor. Sin embargo, riéndose por lo bajo, se apartó, mientras por la sonrisa se le resbalaba la pétrea autoridad incrustada en la piel a latigazos carlistas, que lo marcaban desde hacía siglos.

De vez en cuando a la abuela se le hacía oscuro. Estábamos cenando en casa –a la luz tenue de la austeridad que no se elige– y de repente se oía un gran estrépito. Nos levantábamos todos inmediatamente. A diferencia del comedor, en la cocina había un fluorescente cegador, excesivo, que centelleaba dos o tres veces antes de encenderse del todo. En el suelo, entre una silla metálica, la mesa de baratillo y la baldosa de terrazo, yacía la abuela, inconsciente. Los muebles baratos siempre hacen más ruido de lo normal. Con la caída, la falda negra, que le llegaba a la mitad de la pantorrilla, se le subía por encima de la rodilla y dejaba al descubierto la combinación y los muslos, con unas medias de un marrón apagado. Daba un poco de angustia. Alguna vez se hizo pipí encima.

Perdía el conocimiento por completo. Esta expresión, que solo he oído en casa, daba horror: «Se le ha hecho oscuro.» Y me preguntaba si a los demás, a mi hermano o a mí, podía pasarnos que se nos hiciera oscuro.

No me acuerdo bien de lo que pasaba después, quién la hacía volver en sí, quién le mojaba la cara con agua fresca, quién le decía algo y la levantaba... Pero, como de costumbre, seguro que lo hacía todo mi madre, que es la única persona que me parece capaz de obrar con eficacia en esta clase de situaciones.

–Ha vuelto a caerse redonda.

–Pero ¿qué le pasa?

–Que se le ha hecho oscuro.

La fórmula se repetía a menudo mientras intentábamos entender lo que había pasado.

Cuando la abuela se rompió el fémur y necesitaba un andador para moverse –lo que ahora llaman el taca-taca–, recorría el pasillo de casa varias veces, de un lado a otro, con una disciplina digna de admiración. Tenía mala circulación y una salud y un equilibrio muy precarios. Había que ayudarla a levantarse y a sentarse, y a veces se hundía en el asiento. Para bajar las escaleras necesitaba una persona a cada lado, o que la llevaran a peso en una silla. Tenía una pierna más larga que otra, por eso llevaba un alza en una bota ortopédica, que a mí me parecía de futbolista. Más alimento para este mundo de seres semifantásticos y contrahechos. No conocía a ningún niño que tuviera una abuela con un saco de achaques tan bien surtido. Y los otros abuelos, los padres de mi madre, que podían haber contrarrestado el efecto, habían muerto antes de que yo naciera.

A veces mi madre me levantaba por la mañana para que fuera detrás de la abuela, por si perdía el equilibrio. Yo me levantaba, pero todavía estaba con los párpados pegados y sin haber desayunado. Cuando llegaba al final del pasillo, había que procurar que no tropezara con el mueble y que no chocáramos. El andador, ella y yo teníamos que describir una vuelta perfectamente limpia. Un día hacía un calor que intensificaba como nunca el vacío de mi estómago, y empecé a notar que me daba vueltas la cabeza, hasta que, efectivamente, en un abrir y cerrar de ojos, se me hizo oscuro y me caí al suelo. Y mi abuela tuvo que aparcar contra la pared como buenamente pudo, como se estaciona un coche para hacer un recado:

–¡Ven! ¡Mila se ha caído redonda!

Mi madre acudió enseguida, me puso las piernas en alto y me dio un poco de agua. No se me ha hecho oscuro muchas veces más. En cuanto noto un poco de mareo, me siento en el suelo rápidamente para prevenir ese estado que hay que evitar a toda costa. Es el poso del miedo a perder el conocimiento.

A mi abuela se le hizo oscuro muchas veces. Y el desbarajuste de lo imprevisto, la caída al suelo que mueve la silla metálica y la mesa de formica y el acudir todos a la carrera no se me borrarán nunca de la cabeza. Tampoco se me olvidará nunca cuando se despertaba por la noche tosiendo y ahogándose por culpa de una bronquitis crónica galopante y mi madre, su nuera, se levantaba a socorrerla, siempre la primera, como si tuviera un sensor, el oído agudísimo o un sexto sentido conectado a las constantes vitales de aquella mujer. Después nos levantábamos mi hermano y yo y le veíamos los labios morados, un color discordante en el rostro enrojecido por la tos, y los ojos transfigurados en órbitas. Y sabíamos que la cosa terminaría con otra noche en el hospital.

Somos el trajín que compartimos, el mundo que solo sabemos nosotros y que a menudo solo nosotros entendemos. La soledad de saber con certeza que somos eso, que al menos abriga. Tal vez sea el motivo por el que necesito ordenar todas estas escenas. Es como si, amontonando estas rayas, una detrás de otra, pusiera un poco a raya mi universo, las extrañezas y las originalidades que me han perseguido y me han traído hasta aquí. Es como si domesticara el mundo del que procedo, el pasado que no se sabe en qué estancia se guarda para presentárselo un día, bien adornado, a mi hija. Mira, esto es la pierna ortopédica del abuelo, esto son las maldiciones de mi padre, esto es la combinación de la abuela, esto otro las contradicciones, el Far West y el tal cual... Porque ¿verdad que la oscuridad no viaja de generación en generación?

Hace poco volví a soñar que iba detrás de mi abuela, por si perdía el equilibrio. Era un callejón sin salida de tensión infinita: yo intento que no se tuerza, que no se caiga; tan pronto se levanta del sofá, como va al lavabo, o aparca contra la pared... Mi abuela, me caigo o no me caigo, protagoniza –pobre mujer– una tortura sostenida hasta que me despierto... sin que se haya caído.

Me imagino que en esta clase de pesadillas reverbera el lío de la noche con Jonás. «No fue más que una historia de una noche, son cosas que pasan en las convenciones de empresa; hace semanas que no nos decimos nada, no hagamos una montaña de un grano de arena.» Me lo repito como un mantra. Habría sido como alguna que otra vez, así de fácil, si no fuera por lo que sucedió después, al volver: la novedad certificada por el notario aséptico que es el ginecólogo, la alegría compartida con Simó y, al mismo tiempo, un chorro de truculencias desatadas, el batiburrillo interior de no saber si tenía que hacer algo o si era mejor callarme. ¿Contárselo a Simó o a otra cosa, mariposa, que ya estoy embarazada? Recuerdos que llegan sin saber por qué, sueños estrambóticos, coches que se estrellan, tragedias a granel... Y mi abuela mirándome y removiéndome la culpa. Lloraba, vomitaba, no quería ver a nadie, me levantaba tarde, no contestaba los mensajes de mis amigas...

Tuve que coger la baja hasta que al tercer mes se impuso tomar una determinación. Mila, estás embarazada, era lo que querías, ¿no? ¿De qué te serviría contárselo a alguien? ¿Y quién dice que haya que contarlo todo y saberlo todo? Lo que ignoramos no puede convertirse en un obstáculo, a menos que queramos que lo sea, y a lo mejor el don –o el misterio de la supervivencia– consiste en recorrer tu camino lejos del ruido que dicen que tienes que soportar porque hace siglos que estamos acostumbrados a vivir con ruido y no acarrearlo es inadmisible. A este barullo lo llaman culpa. Esa mar gruesa debe de ser lo más parecido a hacer el saltimbanqui en traje de domingo. Me deja un anhelo de rebuscarme, sobre todo cuando me da el ataque: una afectación solemne destinada a torturarme pensando que he heredado un poso negativo, de fábrica, que se activa cuando estoy con la guardia baja. Sin embargo, en otros momentos no puedo dejar de ver la comicidad de algunos detalles que están en suspensión en el aire de mi infancia. Hoy debe de ser un día de esos. Me acuerdo de pronto de una frase de mi abuela:

–Hemos venido a este mundo a sufrir.

Mi abuela lo afirmaba por rutina. Había sufrido bastante, desde luego, pero lo decía tan a menudo como podía, sin miedo a derrocharlo. Algunas sombras son tan oscuras que, según la deriva que pillen, pueden transformarse en humor negro. Cuando la abuela empezaba a resfriarse y tenía que guardar cama porque respiraba fatal, volvía a las mismas:

–Hemos venido a este mundo a sufrir.

En el fondo, me acosté con Jonás entre otras cosas por un impulso íntimo –incluso inconsciente– de rebeldía contra ese lamento impuesto.

Cuando intentábamos consolar a la abuela porque tenía que tomar una tanda de antibióticos que, sumados a las seis pastillas diarias –antiinflamatorios, vitaminas y protectores estomacales–, le quitaban el hambre, suspiraba teatralmente, como una incomprendida, como si estuviera en el último acto. Y se quejaba con resignación:

–Eso se dice fácil. Vosotros no sabéis lo que sufro.

No sé cuándo se le incrustarían estas frases en el lenguaje ni si las decía antes del accidente. Yo todavía no había llegado al mundo cuando sucedió. Y ahora eso ya no tiene gracia.

Un sábado de junio por la tarde, cuando iba de compras al pueblo, como de costumbre, pasó por debajo de la autopista, por el arcén de la carretera. Desde el barrio, era un trayecto de un cuarto de hora o veinte minutos a pie. Lo había hecho cientos de veces.

El camino para ir de compras al pueblo que mi abuela se sabía de memoria lo aprendí yo décadas más tarde, cuando volvía del instituto o de salir de noche los fines de semana. Para nosotros, «debajo del puente» era un punto geográfico concreto, con una fisonomía propia específicamente dibujada. Si alguien decía que si se encontrara debajo de un puente con un tipo malcarado echaría a correr, nosotros veíamos inequívocamente ese puente nuestro. No era una entelequia. La parte de debajo de una autopista suele considerarse un sitio pavoroso. Al abrigo del tráfico que circula a toda velocidad por arriba, solo se oye un rumor que se acentúa cuando pasan varios camiones seguidos. Por la noche, las anchas pilastras adornadas con pintadas groseras y vocingleras proyectan unas sombras nada halagüeñas que parece que ocultan espectros dispuestos a echársete encima.

Aquella tarde de sábado de un mes de junio el conductor de una furgoneta que probablemente se despistó con las obras de mantenimiento del puente embistió a mi abuela. Y se dio a la fuga. Nadie sabe el tiempo que pasó hasta que un vecino del pueblo la encontró en el suelo, inconsciente, medio muerta. La metió en su coche como pudo y la llevó al hospital comarcal, a la Ciudad de al Lado. Con un móvil, la cosa habría sido sin duda distinta. El vecino la dejó en el hospital sin saber que conocía a la mujer a la que había socorrido, que era una señora que iba a comprar a su carnicería. Se enteraría después. Ensangrentada, hecha un puro cardenal por el impacto del atropello, el salvador creyó que era una gitana.

En el hospital de la Ciudad de al Lado le indujeron el coma para que pudiera soportar el dolor de las heridas. Había que esperar a ver cómo reaccionaba el cuerpo, después del brutal empujón al borde del abismo. A partir de entonces y para siempre, en casa lo llamaron «el accidente». El accidente marcó un antes y un después, un tiempo más que la abuela viviría de regalo. Tenía varias costillas rotas. Cuando su marido y sus hijos entraron en la UCI, lo primero que vieron fue un cuerpo lleno de cardenales. Estaba irreconocible. No tenía ni cincuenta años. Se despertó un par de meses más tarde y empezó una lenta recuperación.

–El médico lo dijo con estas palabras: es que san Pedro no la ha querido y le ha cerrado las puertas del cielo –le oí contar a mi madre muchas veces.

Pasados unos años, cuando las bronquitis reiteradas la mandaban cíclicamente al hospital y le hacían más radiografías, las enfermeras se escandalizaban al ver las costillas. Debía de tenerlas como un amasijo de astillas que se sostenía gracias a no se sabe qué ingeniería milagrosa.

–Cada vez que le veían las costillas se llevaban las manos a la cabeza y teníamos que contarles lo del accidente.

La abuela sobrevivió con unas secuelas muy molestas: cuando yo la conocí tenía una cicatriz que le cruzaba la ceja y el ojo izquierdos, y, según decían, no era nada en comparación con la drástica marca que lucía los primeros años. Incluso temieron que perdiera la visión. Le habían reventado más cosas, además de las costillas, ya no pudo levantar el brazo izquierdo por encima del hombro nunca más y en la parte superior de la columna tenía unos huecos, como si se la hubieran aplastado.

–Estás trabajando tan tranquilo y de repente te avisan de que ha pasado una cosa así... –balbuceaba mi padre con mucho esfuerzo la impresión de aquel recuerdo.

En su laberinto para buscar las palabras, hilando las frases a trompicones y escatimando recursos, se intuía el impacto de las semanas de incerteza terrorífica.

Unos años después yo haría como si observara una cara deformada a puñetazos en un cuadro cubista e intentara ubicar las piezas en su sitio.

–A ver, abuela, levante el brazo –le decía, jugando sin mala intención, solo por pura curiosidad, para comprobar que todo el mundo menos ella podía levantar el brazo izquierdo.

Y mi abuela lo hacía –era una forma como otra cualquiera de pasar el rato con ella–, levantaba el brazo hasta el hombro, ni un milímetro más. Es sorprendente lo preciso que llega a ser el corolario de un accidente. De cualquier desastre. Me estremezco solo de pensarlo. El seísmo deja grietas, aunque se eche todo el portland del mundo.

Dicen que hubo que coserle la cabeza y que por eso tenía mala circulación desde entonces: se le hinchaban las piernas, le sobresalían las venas de la piel, cualquier golpe que se diera era un moratón seguro, y el riego sanguíneo no llegaba a todas las partes del cerebro ni, por lo tanto, a todas las articulaciones. Ahora comprendo que, ante tanta fatalidad –que era como una presencia espectral–, decir que se le hacía oscuro parece una frase de broma. Una manera de tomárselo bastante bien.

Hizo falta un esfuerzo mastodóntico para liberar la casa de los abuelos de los últimos restos que quedaban, que parecían fantasmas reacios a irse, como si quisieran dar la bienvenida a los futuros inquilinos. De una casa pueden salir los objetos más insospechados. Aunque no es para tanto si solo aparecen pequeños desconciertos. Toallas de tela con las iniciales bordadas en una punta –las letras amarillentas por el paso del tiempo–; sábanas raídas y arrugadas; fotos que hacía décadas que no veían la luz, se notaba... Y algunas sorpresas. Era como si el mundo legendario y mágico quisiera ensancharse después de estar tanto tiempo clausurado, apestando a cerrado. Unos documentos antiguos que nadie se había molestado nunca en mirar certificaron que hacía dos siglos bien cumplidos que los antepasados de mi padre se habían instalado en el barrio. Hasta entonces, nadie tenía ni idea. Mucho repetir actitudes generación tras generación, pero resulta que ni siquiera sabían que no se habían movido de allí mismo. ¡Qué ironía tan retorcida!

Después de los primeros pobladores, con el paso de las décadas y de los herederos, la cosa había degenerado en algo así como un atrincheramiento ajeno a la llegada de la luz, de los polígonos, de las autopistas.

–Cuando llegué a esta casa la encina ya estaba y ¡la abuela decía que siempre la había visto! –nos contaba mi abuela, refiriéndose a la encina de delante de la Casa Vieja.

Era la máxima aportación temporal que podía hacer sobre la antigüedad de la casa en la que había entrado en calidad de nuera.

Otros documentos revelaron que la familia de mi padre había sido bastante acaudalada, porque en el siglo XIX se había podido permitir la bula papal para comer carne en Semana Santa y porque un heredero había pagado para no tener que ir a la guerra de Cuba. Huelga decir que de todo eso no quedaba una migaja. Y para dar fe de ello uno de los últimos documentos era una hipoteca que había tenido que solicitar mi abuelo para hacer frente a unas deudas. Nadie sabía nada de la hipoteca. Ni mi abuela. Fantasmas y silencios y la impresión de que no me lo habían contado todo. Pero con lo que me han contado me atrevo a dar por válida una conclusión: solo hace falta una generación para que se vuelvan las tornas y lo que era blanco inmaculado sea negro carbón. O al contrario. Para eso tampoco debe de existir una explicación realmente científica. Aunque los tres cabritos que parió la Grisa lucieran un gris idéntico al de su madre, siempre puede intervenir un punto de fuga, un cambio de piel. Aunque resulte inesperado o extraño. Para bien o para mal. Hay bagajes invisibles y de naturaleza muy distinta que, a veces, en algún momento de la secuencia, alguien decide detonar.

En las casas de antes, sobre todo en las de campo, se guardaba todo, no fuera a ser que no se pudiera echar mano del principio de que en el campo se aprovecha todo, que nunca se sabe si nos hará falta, etcétera. Mi padre todavía quiso quedarse con algunos cachivaches, que fueron a parar al secadero, donde se colgaban los tomates y donde antes, cuando tenían cerdos, secaban los jamones. Ahora ese cuarto hacía las veces de fresquera, una habitación mal hecha, con unas vigas de madera un tanto sinuosas, que no se incluiría en el conjunto alquilable (hay que imaginarse toda la casa como un rompecabezas de añadidos desiguales, compactados solo con el pegamento del utilitarismo, sin ninguna ambición estética).

Al secadero fueron a parar un par de maletas de la tía soltera, la hermana del abuelo, con las pertenencias que había conservado cuando estaba en la residencia. La ropa acabó en la basura porque no le servía a nadie. Y las dos maletas con sus objetos más personales se quedaron muchos años parapetadas encima de las estanterías de madera agujereadas por la carcoma, salpicadas de cagadas de mosca, hasta que un verano, sin más motivo que el aburrimiento estival, me puse a inspeccionarlas.

Me gustaba revolver en los cajones, y si mis padres me dejaban sola algún día en casa, aprovechaba para registrar sus mesitas de noche y el tocador. Era algo así como una búsqueda de pistas para explorar el orden que articulaba el funcionamiento del mundo adulto, como si en el orden de una casa se reflejaran las claves de un conocimiento superior. No me lo habían contado todo y yo seguía buscando. Desentrañar el mensaje de unos documentos, interpretar el hallazgo de unos pendientes que mi madre nunca se ponía o el motivo de una fotografía suelta... Me enfrascaba con un afán casi arqueológico, empeñada en detectar algún significado oculto entre los calzoncillos inequívocamente blancos y los calcetines negros desgastados. La única cosa relevante que encontré fueron las hojas salariales de mi padre, llenas de descuentos, impuestos y pluses, que eran las horas de más que hacía los sábados. No las entendí del todo.

Bajé de las estanterías las dos maletas de la tía soltera. Me acuciaba un leve hormigueo. Era una exploración de las que, si se culminan en solitario, dejan más huella que si te llevan de la mano. El mal olor que emanaba de las maletas –a rancio, a viejo, a carcomido, a cerrado– daba arcadas. Vuelvo a oler el tufillo y me gusta. Es a lo que huelen las cosas cuando todavía crees que desenmascarar la verdad tiene algún sentido.

Mi tía la soltera había sido un personaje estrafalario, feo, con una voz aguda y ronca que solía decir disparates. Tenía una pierna completamente tiesa, no la podía doblar a causa de una operación que le habían hecho. De pequeña, yo no podía dejar de mirarle, medio mareada, la rodilla inmóvil, que a veces supuraba. Se había ganado todo el derecho a ocupar el primer lugar en el podio de los seres semifantásticos. La abuela no perdía ocasión de comentar las rarezas de su cuñada.

Abrí las maletas sin molestarme en quitar la capa de polvo que las cubría. Una era marrón, un marrón desagradable, descolorido, de caca de oca. La otra, azul marino, sobria, con unos ribetes que le prestaban cierta elegancia. La maleta marrón estaba llena de documentos legales: el carnet de identidad, las residencias en las que estuvo, algunas cartillas del banco, papeles médicos de trámites rutinarios... Aparte de las fotos de los documentos, que daban fe de la profundidad de su fealdad –nariz aplastada contra una boca enorme, ojos hundidos y muy separados; podía decirse que tenía cara de boxeador–, lo demás era burocracia sin importancia.

A pesar del desagradable olor que brotaba como una alimaña liberada, seguí adelante sin desanimarme. De la maleta sofisticada salieron postales de un balneario, rosarios, algunas fotos con amigas, en una excursión... Me entretuve en buscar alguna cara que me sonara, pero no sabía quiénes eran esas mujeres. En lo que me fijé fue en que ninguna tenía las formas escarpadas de la tía soltera. Me pregunté si en algún momento de su vida no habría tenido esa cara perpetuamente ceñuda, de montaña de Montserrat enfurruñada.

Pasé por alto los misales y otros libros de fe cristiana. Por lo visto era muy devota. La impresión era muy distinta a la que me daba escudriñar los cajones de las mesitas de noche de mis padres. Ella ya no podía pillarme. Pero, al mismo tiempo, me molestaba una cosa: saber que toda esa cantidad de papel no me serviría para reconstruir los puntales de su biografía o algo que se le pareciera. Lo que tenía entre manos era un rompecabezas desordenado, sin solución. Toda la morralla burocrática que habían guardado en esas maletas no servía para nada. La producción de toneladas de esa clase de papeleo podía sepultarnos, pero, cuando es preciso que se manifiesten, remiten a muy pocos hechos trascendentes. A la tía soltera le pasaba lo mismo que a su hermano: el retrato –un retrato de verdad, que ahondase en la contundencia estética que testimoniaban las fotos– se volvía imposible y desenfocado, y los recuerdos de los demás se quedaban a medio camino, como si se les terminara la gasolina antes de concluir el viaje.

De esa mujer me habían contado los típicos tópicos asociados a una solterona con un carácter impulsivo –«¡Por eso no se habrá casado!»– y poco más. A veces hablaron de una amiga del pueblo con la que iba a tomar las aguas. Aunque había vivido la mayor parte de su vida con mis abuelos, con el heredero en el papel de eje central, como corresponde a una casa de costumbres antiguas, no había forma de sacar algo en limpio.

El olor a cerrado invadió todo el cuarto y hasta dejé de notar el sulfuroso de los tomates de colgar. El tufillo rancio y húmedo de las vigas y el suelo –viejo, repintado– me incomodaba y por eso miré mecánicamente, sin interés, las últimas cosas que iba sacando de la maleta sofisticada. Y de pronto me encontré con un libro de Terenci Moix en las manos; y después, uno de Pere Calders... Parecía que el azar, burlón, me sacara la lengua poniendo a esos dos escritores al lado de los misales. Este cameo les habría hecho mucha gracia a los dos. A lo mejor no tenía que perder la esperanza todavía. Ambos libros eran ediciones de las que solían regalar las cajas de ahorros en los años ochenta. Por lo tanto, primera pregunta: ¿los había leído? Y, suponiendo que sí, ¿acaso era una devota que tenía intereses literarios poco ortodoxos? No lo veía claro. El hallazgo libresco tiró de las demás preguntas pendientes. ¿La tía soltera había querido a alguien alguna vez? ¿Había tenido un desamor flagrante de juventud? ¿O quizá le gustaban las mujeres y había tenido que ocultarlo en aquel ambiente asilvestrado? Eran las fabulaciones que me venían a la cabeza a la edad de catorce años. En aquellos tiempos no me imaginaba que de mayor me preguntaría por la medida, el peso y la fuerza de los secretos, por la habitación en la que esconderlos plácidamente para que no estorben.

Mi madre salió a la azotea, que daba a la casa de los abuelos, y me llamó.

–Mila, avisa a tu padre y venid a comer, que ya es hora; ¡anda!

Había un matiz malhumorado. Interpreté que creía que yo estaba perdiendo el tiempo, que siempre tenía que andar detrás de mí a la hora de comer y que al final comíamos tarde por culpa de mi padre y por la mía. Los desajustes habituales del verano.

Abordé la última carpeta, que contenía más documentos médicos –la buena mujer tenía un cuadro completo–, y mientras los hojeaba con desgana, apurada por la hora de comer, uno de ellos me llamó la atención. La mecanografía era diferente y no parecía tan previsible. Lo leí en diagonal hasta que los ojos se detuvieron en el diagnóstico. Un único concepto. Apetece decirlo a toda velocidad. Trastorno maniacodepresivo.

–¿Ya has avisado a tu padre? ¡Venga, hombre, que es tarde! ¡Siempre acabamos comiendo a las tantas! –Ahora sí que estaba claramente malhumorada–. Oye, mira, si no venís, empezamos nosotros solos.

¿Trastorno maniacodepresivo? Me quedé estupefacta, aunque no sé por qué. No sabía con exactitud lo que significaba «maniacodepresivo», pero parecía bastante grave. Justo en aquella época se empezaba a hablar de las depresiones. Me desorientó la combinación de adjetivos. Y todavía no había un Google gurú de todas las verdades –y de todas las mentiras– al que acudir para empezar a descubrir en mí misma los síntomas de un maniacodepresivo.

–¡Uf, la tía! Si no le hacían caso o no le daban la razón, se echaba a llorar cada dos por tres –había oído yo en casa alguna vez.

Por ese lado, pensé: pobrecilla, la mujer lloraba por un diagnóstico que nadie llegó a saber. Pero después irrumpía el otro concepto: «maniaco». ¿Qué significaba? Siempre decían que la tía soltera era una maniática, pero ¿eso se correspondía con un dictamen médico posible?

Entró mi padre en el secadero, sudado y sucio del huerto.

–¿Qué estás mirando? Anda, recoge eso, que ya es tarde y hay que ir a comer.

Todo el mundo parecía muy preocupado por la hora,

pero en verano, todos los días comíamos igual de tarde. Eché el último vistazo al papel del médico. Tenía la sensación de haber profanado la intimidad de una mujer que ya no podía defenderse y de haber descubierto una cosa que no tenía que saber. Si hubiera dependido de mi padre y su familia, el relato seguiría con un agujero y unas galerías como las de los topos, invisibles al ojo humano. Habían tirado los recuerdos no contados ni compartidos por ese agujero: y allí se habían quedado, embarrancados en algún lugar de las galerías. Solo mi madre, la nueva en la casa, podía romper ese silencio estentóreo, la ingeniería de los topos.

Salí del secadero y entré en casa sin decir palabra. Mi madre había hecho alubias, una comida ligera por excelencia que apenas probé.

–Si no te gusta, vete a la fonda –me dijo, al ver que resoplaba como de costumbre.

Me quité el gusanillo con la fruta y, mientras fregábamos los platos las dos juntas, la sonsaqué. Dos mujeres hablando en plan confidencial... Primero, tentativamente, le pregunté si alguna vez había visto lo que había en la maleta, si sabía si la tía soltera leía...

–Era muy creyente, ¿verdad?

–¡Huy, sí! Muy beata.

Pero el tono de mi madre no parecía predispuesto a recibir ninguna noticia interesante, hasta que pensé que ya bastaba, que tenía que ir al grano. La cocina estaba en la parte más soleada de la casa y a esa hora el sol daba de lleno. Yo estaba medio grogui. A mi madre le brillaba la frente.

–Espabila aclarando los platos, anda, que a este paso nos salen telarañas –me metió prisa al ver que me quedaba embobada.

–Oye, mamá, ¿tú sabías que esa mujer era... –coge aire y suéltalo a toda pastilla–, que era maniacodepresiva?

Seguía pareciéndome que el peso de la gravedad estaba en «maniaco», como si me remitiera a palabras de sonoridad semejante, demoniaco y cosas así.

–¿Que era qué?

–Maniacodepresiva, lo he encontrado en uno de los papeles de las maletas.

–Ah, sí, seguro, ya sabes cómo era, una maniática. Anda, vete a limpiar la mesa.

Cogí el trapo con el latido de la derrota. Estaba atribulada por el diagnóstico, como si me hubieran revelado una verdad que explicara misterios soterrados durante años, pero mi madre me despachaba nada más empezar. Sin embargo, después decidió añadir algo más:

–La verdad es que hacía cosas muy raras. Una vez me dijo: «Estás apañada con tu suegra.» Yo no le hice caso ni se lo conté a nadie. Pero poco después me dijo tu abuela: «Mira lo que me ha dicho la tía: "Estás apañada con tu nuera"; te lo digo para que andes con ojo.» Y entonces –prosiguió mi madre– le dije a la abuela: «Bueno, ¿qué hacemos? Porque a mí me ha dicho lo mismo, que estoy apañada con usted.»

–¿Y qué te contestó la abuela?

–Solo me dijo: «Bueno, da igual.» –Mi madre me contó el grotesco diálogo con el orgullo de quien no se deja tomar el pelo. Había encontrado una veta–: Siempre quería tener la razón y, si no se la dábamos, se ponía como un basilisco. «Cagüen Cristina puta», decía cuando maldecía. Y no te imaginas qué palabrotas soltaba... Y le gustaba ir de un médico a otro sin parar. Siempre le pasaba algo. Pero luego no les hacía caso, no hacía lo que le mandaban.

La tía soltera parecía un trol medio escondido que se había paseado escurridizamente por mi infancia. Tal vez los retratos están condenados –¿o tienen derecho?– a ser parciales, incompletos. Nadie ve jamás todo lo que hay en cada uno –ni con la ficción de las redes sociales– y no descarto que sea así por suerte. O una venia de la naturaleza para asegurar la supervivencia. Siempre me había intrigado que no hubiera fotos mías de chiquitina, que no hubiera ninguna en brazos de los abuelos ni de la tía soltera. Pero esas figuras más provectas de lo normal no me ayudaban a dejar de creer que podía ser adoptada.

La tía soltera no llegó a pedir al Hombre de Allá Arriba su opinión sobre lo que le pasaba, porque cuando empezamos a frecuentarlo ella ya se había ido al otro barrio.

–Al final, en la residencia, lo único que nos pedía eran pastelitos, no comía nada más. Se hinchó una barbaridad.

El lenguaje del más o menos viene de una larga tradición en mi casa. Llamar «el Hombre de Allá Arriba» al Hombre de Allá Arriba es la sublimación. Es extraordinariamente preciso para los que sabemos las coordenadas. Para los que no las comparten, este deje aproximativo puede resultar agotador. Quien nos oiga creerá que hablamos en clave. Simó estaba convencido al principio. Dos ejemplos de esos puntos cardinales:

«El cuarto de aquí al lado.» Siempre ha sido un lugar concreto de la casa: la habitación que hay subiendo las escaleras a mano derecha; parece un añadido posterior y es donde están el congelador y los bártulos de mi padre, que los acumula en cantidades industriales.

«Ahí mismo.» Es un sitio específico del barrio: no delante de casa (porque eso sería «aquí mismo» o «aquí saliendo»), sino enfrente de la casa de los abuelos, por la parte que no vemos, es decir, unos cincuenta metros más allá. Cuando mi padre iba a llenar la botella de su intragable vino, decía que iba «ahí mismo». La entrada de la Casa Vieja daba a ese espacio que no necesitaba mayor definición.

Hace años que me fui del barrio, por eso en algunos

momentos me encuentro desconectada del plano que tan claro estaba entonces. Un día, cuando mis padres hablaban de un manantial que había antes, no tuve más remedio que preguntar:

–¿Dónde estaba el manantial?

–Ahí saliendo –dice mi padre.

–¿Dónde es ahí saliendo?

–Donde el bosque –puntualiza él.

–Donde el polígono –dice mi madre; veo que está perdiendo la paciencia.

Por fin deduzco que, más o menos, el manantial estaba en algún punto más allá de «donde tenía Ramírez los perros» (Ramírez era amaestrador de rottweilers y se referían a él como si el mundo entero supiera de su existencia). Ni en el polígono ni en el bosque: el manantial estaba en tierra de nadie, entre campos abandonados, cerca de la carretera de la Ciudad de al Lado.

–Pero ¿no te acuerdas del manantial que había ahí saliendo? –insiste mi hermano, como diciendo que lo complico todo.

–No me acuerdo, soy más pequeña que tú.

–Ah, yo me acuerdo perfectamente, estaba en el camino de abajo.

Y los demás asienten y yo desisto. Con esas indicaciones, comprendo que haya una mínima desorientación identitaria. Y que me obsesionen los sitios y esta tarea de ordenar: dónde guardar los recuerdos y los cachivaches.

El Hombre de Allá Arriba era un curandero de Berga que se llamaba Fèlix. El trayecto a Berga nos obligaba a ir hacia el norte, por eso la incontestable lógica geográfica le impuso rápidamente ese sobrenombre, que además lo revestía de una categoría propia y casi casi de poderes celestiales. Y aunque una excursión «Allá Arriba», bordeando la montaña mágica del Pedraforca, pueda parecer inocua, era en realidad todo un acontecimiento (es el viaje más largo que hicimos juntos en el coche). Se lo había contado a mi abuela una compañera de excursiones del club de los mayores, Conxita. Primero fue ella y detrás fuimos mis padres, mi hermano y yo. Solíamos ir cada tres meses, un sábado por la tarde, a primera hora, así que siempre comíamos con prisa, porque mi padre se alargaba trabajando en el huerto y con las ovejas y teníamos que comer casi sobre la marcha.

Para ir a Berga había que coger la autopista que pasa al lado del barrio. Retrocedíamos unos kilómetros hasta la entrada y después, cuando volvíamos a pasar cerca de casa, siempre nos resultaba chocante. Yo comprobaba cómo se veía el barrio desde fuera, como podía verlo uno de paso desde un camión o un bólido de los que admirábamos mi hermano y yo en la atalaya de lo alto de la cuesta del cementerio.

Desde la autopista, el vecindario parecía un barrio descoyuntado, un suburbio de los alrededores de un barrio chungo, fielmente chungo a los que salían en las noticias de la tele por alguna cuestión de drogas o de delincuencia (en mi adolescencia gastamos ese adjetivo hasta dejarlo tarumba). Y yo sabía que mi barrio no era así, aunque de lejos pareciera que estaba todo manga por hombro. La cuesta del cementerio era como un camino de mala muerte, una carretera más terciaria que secundaria. Durante bastante tiempo, cuando tenía que decir dónde vivía, empezaba justificándome, aunque nadie me lo pidiera: «Desde la autopista parece otra cosa, pero es un barrio muy tranquilo y agradable...»

El Hombre de Allá Arriba siempre me cayó bien, porque fue el que dijo que yo tenía un don, y siempre me parecerá un señor venerable y sereno. Si terminara aquí ya sería un buen resumen. Pero ahora me gusta mucho recordarlo, tenerlo presente. Oculté su existencia mucho tiempo, pero a cierta edad se te pasan las tonterías. En medio de las sombras que pellizcan –unas veces juegan, otras dejan marcas rojas en la piel–, su imagen me da tranquilidad. Y me hace pensar en otros caminos posibles, los que todavía no me había imaginado para mí cuando íbamos a verlo y los que empezamos a imaginarnos para Bruna. Simó y yo hemos decidido que se llamará Bruna. Nada que se parezca a los nombres que llevamos a cuestas (yo me llamo como una bisabuela que vivía en las cañadas indómitas;[1] Simó lleva el nombre de un tío suyo que era soltero).

El Hombre de Allá Arriba era medio calvo y todavía se peinaba hacia atrás, con el pelo empapado de colonia, la cara perfectamente afeitada y una camiseta imperio que se le notaba por debajo de la camisa. En la sala de espera se oía música clásica o, a veces, valses y tangos que sonaban a través de un sistema interno de hilo musical. Me encantaba. Era un piso pequeño, con un pasillo estrecho, al que se llegaba por unas escaleras angostas también, con barandilla metálica y pared descolorida, y un tanto oscuras, porque nunca encontrábamos el interruptor... Sin embargo, parecía que el piso lo habían arreglado con buen gusto; el despacho, por así decir, del Hombre de Allá Arriba tenía un mobiliario de madera maciza. Lo había reformado él solo. Nos recibía con un fuerte apretón de manos, y eso me impresionaba.

–¿Qué tal están?

–Pues ya ve, vamos tirando –era la respuesta inequívoca de mi padre, pasara lo que pasara. Habría dicho lo mismo tanto si hubieran caído billetes del cielo como si hubiera habido un terremoto mortífero.

1. En referencia al título de la novela modernista de Raimon Casellas (1855-1910). *(N. de la T.)*

Entrábamos en la consulta todos a la vez y nos sentábamos al otro lado de su mesa. Asistíamos todos a la visita de todos, como si no tuviéramos ningún pudor ni ningún secreto que ocultar. La mesa era grande y tenía una lámpara potente. A mí me parecía que tener una mesa tan grande, tan bien puesta y tan limpia, con todo lo necesario para escribir y trabajar tranquilamente, era cosa de personas mayores. Ni una mota de polvo, ni un arañazo ni un garabato... Como si fuera la señal de algo bueno que todavía no habíamos descodificado. Mientras esperaba mi turno, me entretenía mirando los libros de la estantería y el funcionamiento del equipo de música que alimentaba el recibidor.

El ambiente era tan agradable que casi siempre me entraba sueño. Y a veces tenía que disimular las cabezadas como podía. Miraba de lejos unos ejemplares de la Biblia y la cabeza torcida de un Jesucristo en la cruz. Me refiero a la postura característica de esas figuras en las que Jesús mira a un lado y hacia arriba y, ensangrentado por la corona de espinas, implora la salvación. Eso dicen. Miré muchas veces aquella cabeza torcida, porque me daba pena, la verdad, y pensaba: pobre hombre, este Jesucristo, tener que acabar así para que lo entendieran... ¡Y tampoco es que lo hubiera conseguido del todo!

Podía pasar media hora hasta que me tocaba a mí. La iluminación concentrada sobre la mesa del Hombre de Allá Arriba parecía dar a entender que allí, en el rectángulo, se sacaban a la luz cosas importantes. Las primeras veces me imaginaba que se produciría una revelación que lo cambiaría todo –por parte de mi padre, de mi madre, de mi hermano...–, que daría la vuelta al curso de los acontecimientos, como un Ari Vatanen que se parara al pie de la autopista y me invitara a acompañarlo al París-Dakar. La declaración de mi don tuvo, en cierto modo, categoría de invitación de ir a correr un rally.

El sistema de la visita era muy preciso. Te sentabas delante del Hombre de Allá Arriba y él te daba un papel –una cuarta parte de un DIN A4– y te decía que escribieras tu nombre y los apellidos. «Con buena letra, ¿eh?», me recordaba mi madre.

Me concentraba como si fuera un examen, me esforzaba para que el nombre y el apellido quedaran rectos, que no se me fueran para arriba ni se me precipitaran para abajo, cosa que solía pasarles a mis padres y a mi hermano.

Mi padre no estaba acostumbrado a escribir su nombre, el bolígrafo era un elemento extraño en sus manazas, hechas al trabajo duro y a exprimir la fuerza bruta. Apretaba tanto el boli que parecía que fuera a romperlo de un momento a otro. Escribía el nombre a toda velocidad, incapaz de controlar el trazo, que más de una vez se le escapaba inesperadamente, como si se pusiera nervioso delante de un papel en blanco. La letra de mi hermano era pequeña y desligada, como si pusiera números en vez de letras, y cogía el bolígrafo cubriéndolo mucho con la mano. Mi madre hacía una letra puntiaguda, delgada, sin inflar nada las es y las as, solo se permitía un lucimiento contenido en la pe de su apellido. Y el trazo de la abuela era inseguro y frágil; en algunas consonantes intentaba hacer un *loop* que terminaba cayendo sin gracia. Cuando entregaba mi hoja al Hombre de Allá Arriba, me quedaba mirándolo de hito en hito confiando en que me felicitara de alguna manera. Sin embargo, él ya escrutaba lo que le transmitían el nombre y los apellidos. Pasaba los dedos, que previamente se había llevado a los labios, por encima de las letras, cerraba los ojos y condensaba los sentidos en lo escrito todavía más.

Yo temía que, por algún agujero desconocido, me descubriera una fechoría o un motivo de preocupación. Y lo miraba con una atención empecinada, pretendiendo leerle el pensamiento, como los mentalistas que doblaban cucharillas o adivinaban los designios más obtusos. Pero nunca lo conseguí. A continuación, el señor Fèlix –mi padre siempre se dirigía a él llamándolo «señor»– me devolvía la mirada y me hacía unas preguntas sobre qué tal me iba la vida. Preguntaba con franqueza, cosa que debía permitirme hablar de hechos recientes que no hubieran recibido ponderación suficiente en casa. Pero a la hora de la verdad, cuando el señor Fèlix me preguntaba: «¿Qué tal, jovencita, cómo estás?», se me trababan las palabras. «Bien, o eso creo», musitaba, vacilante y cada vez más sonrojada, pensando que lo que me parecía bien en realidad no estaba bien y que ese hombre me descubriría un fallo desconocido para mí.

–Entonces en el colegio, bien... Eso es importante, ¿verdad? Estás en edad de formarte.

Y ahí intervenía mi madre para decir que había sacado mejores notas que en el trimestre anterior y que, según la maestra, se me daban bien tanto las letras como las naturales. Y el Hombre de Allá Arriba sonreía, me miraba con complacencia y nos contaba algo, una especie de episodio ejemplar. Como los chistes del Esquilador pero con una moraleja más clara y sostenida.

Como la siguiente:

–Pues resulta que, hace muchos años, teníamos unos vecinos, un matrimonio de Lérida. A él lo había trasladado aquí la empresa y les gustó tanto esto que se quedaron a vivir. Tuvieron un hijo que de jovencito era un poco zascandil... Ya saben lo que quiero decir: le gustaba salir por la noche; trabajaba más bien poco y vivía a costa de sus padres. La ocupación del burgués: comer, dormir y no dar ni golpe.

–Ahora hay muchos así, que no quieren trabajar; antes era otra cosa –terció mi padre, con su obsesión por el trabajo y por el pasado.

Mi madre lo amonestó con la mirada por haber interrumpido al Hombre de Allá Arriba, que, imperturbable ante sus acotaciones, no perdió el hilo. A mí se me había pasado el rubor de la cara, pero sudaba de angustia, esperando entender adónde iba a parar.

–Un día el matrimonio vino a verme y me dijeron: «Oiga, Fèlix, ¿por qué no le echa una mirada a nuestro hijo? Hable un poco con él, a ver si le hace entrar en razón. Nosotros ya no sabemos qué hacer.» Les dije que sí, que le recomendaran que viniera a verme cuando quisiera. Pero también les dije que el problema de su hijo tenía que solucionarlo él. Era él el que tenía que verlo, y que ellos debían quedarse al margen porque ya habían hecho más de la cuenta. «¡Ay! ¿Qué quiere decir? Nosotros se lo hemos dado todo, hemos procurado que tuviera todas las oportunidades, que viajara, que aprendiera inglés... No como nosotros, que tuvimos que ponernos a trabajar enseguida porque no teníamos un duro.» Y les dije que ese era el problema.

–Eso, eso –mi padre, sin saber a qué se refería, pero siempre a favor de la reprobación, por norma. Mi madre chasqueó la lengua.

–Se quedaron pasmados –prosiguió el Hombre de Allá Arriba–, y entonces les dije: «Miren, lo único que le pasa a su hijo es que lo ha tenido todo muy fácil, demasiado, tanto que no le ha hecho falta mover un dedo. Y eso no puede ser, no es bueno. Que venga, a ver qué puedo hacer.»

Me pareció que el episodio ejemplar se alejaba un poco de mi situación, pero el Hombre lo contaba con tanta seguridad que daba gusto oírlo.

–Un día vino el chico. Lo primero que me dijo fue que venía porque lo habían obligado sus padres, pero que a él no le pasaba nada y que yo no lo haría cambiar por nada del mundo. «Oye, yo no tengo ninguna intención de cambiarte. Lo único que voy a hacer», le contesté, «es advertirte de algunas cosas. Porque la vida no es tan bonita como la que has tenido o te han pintado hasta ahora. Tus padres te lo han dado todo, pero no creas que eso es el mundo de verdad.»

El relato me atrapó porque me recordaba a un niño bien del colegio que siempre alardeaba del último invento tecnológico que le había comprado su padre. Fue el primero que tuvo la Gameboy (unos cuantos no la oleríamos ni en pintura) y siempre presumía de ella como un cowboy de pacotilla que le da vueltas al revólver en el dedo.

–«Y ya verás», le dije al chico, «que todo esto se acabará un día, que tus padres ya no estarán y que lo que no estudies y no hagas ahora tal vez no lo puedas hacer después. Porque la vida no da marcha atrás, siempre tira de uno y nunca te pide permiso para pasar el rasero. El dinero se va igual que vino. La tortilla se da la vuelta sin más y puedes dar gracias si no se sale de la sartén; te lo aseguro, muchacho, en un visto y no visto pasamos de ser embriones inciertos a calaveras atónitas.»

Se acercaba el desenlace del relato de la vida:

–Y ojalá me hubiera equivocado... –Empezaba a oler a chamusquina dramática–. Los negocios del padre del chico comenzaron a decaer, llegó la crisis de los setenta; para rematar, tuvo un cáncer fulminante y se fue al hoyo de la noche a la mañana, y su mujer se quedó cargada de deudas. Y vaya si el chico se tuvo que espabilar, porque, si no, les habrían quitado el piso y todo. La madre lo pasó muy mal y se quedó muy afectada para siempre. Un día el chico volvió a verme. Ya empezaban a recuperarse. Entretanto, yo había seguido tratando a la madre, que venía a mi consulta. Él no había vuelto nunca más ni me había dicho nada. Pero aquel día se desahogó: «Fèlix, no sabe cuánto me he acordado de lo que me dijo aquella vez, lo de que en cualquier momento podía volverse la tortilla. ¡Cuánta razón tenía!»

Yo también me he acordado después, si por tortilla entendemos los azares que intervienen para que, al darle la vuelta, pueda caer tanto dentro como fuera de la sartén. He decidido que haré todo lo que pueda para que caiga dentro. Es un paso. El silencio con Jonás se ha hecho grande. Lo he bloqueado en el móvil. Últimamente ya casi no me molestaba, pero un toque de dedo es una manera de darlo por desaparecido.

Al terminar el cuento de la tortilla, el señor Fèlix volvió a mirarme a los ojos, que yo tenía abiertos de par en par. En cuanto reconoció que me tenía completamente embelesada soltó la sentencia:

–Por eso hay que estudiar. Es un trabajo que nunca termina, pero es inútil lamentarlo de mayor. La vida es un camino y solo se saca algo en limpio si se siembra a tiempo.

–¡Eso! Sembrar, ¿verdad? ¡Sembrar! –exclamó mi padre, que al oír la palabra «sembrar» creyó entender una historia que lo había amodorrado un poco.

–Ahora bien, hay que sembrar siempre, ¿eh? No vale decir: «Este junio planto patatas y no vuelvo hasta dentro de cuatro años» –nos advirtió, juguetón, el Hombre de Allá Arriba, por si alguno nos habíamos quedado en la epidermis del asunto.

Y me puse a pensar en el sonido de las patatas kennebec, hasta que el Hombre de Allá Arriba me invitó a levantarme.

Mi padre solía aprovechar su turno con el Hombre de Allá Arriba para poner de vuelta y media a alguien que le hacía «la vida imposible». Siempre había alguien que le hacía «la vida imposible», y se refería a esa persona con un insulto u otro. Por ejemplo, pelagatos.

–¿Qué hay de nuevo?

–Vamos tirando, ya ve. Trabajo no falta, que es lo que interesa, y arreando que es gerundio. Si no, mal asunto... Hoy mismo he terminado bastante tarde. Lo que he tardado en preparar las tomateras...

La fórmula infalible de mi padre: tener mucho trabajo era señal de que todo funcionaba. No había medida más fiable de sus constantes vitales. Al oírle empezar como siempre, mi madre soltó un bufido, aunque bastante disimulado. Ya sabía cómo iba a seguir:

–Un pelagatos al que llaman el Quirico me prepara cada una...

Empezaba el relato *in media res,* dando por hecho que el mundo entero estaba al tanto de las maldades del Quirico. Para aclarar un poco las cosas al Hombre de Allá Arriba, mi madre puntualizaba que el Quirico era un vecino del barrio que en realidad se llamaba S.

–Ese siempre anda buscándome las cosquillas con cualquier excusa. El otro día, cuando arrancamos las patatas, pasó por allí, estaba yo en el campo con el chico...

Se perdía contando la enésima batallita que había tenido con el Quirico, que era un pendenciero, que siempre andaba tramando algo para fastidiar... Todo el ardor que ponía en insultar al Quirico se transformaba a continuación en un tono acoquinado de perro apaleado para detallar los motivos de la disputa y su reacción.

Delante del Hombre de Allá Arriba se contenía bastante con los insultos. En casa, a la hora de comer o si estábamos con un familiar con el que podía explayarse, el Quirico se convertía en «ese so cabrón hijo de puta». Y lo decía tan de carrerilla y con tanto ímpetu que siempre salpicaba al otro con un poco de saliva.

Para redondear el memorial de agravios, terminaba añadiendo a «uno de la fábrica», un capataz que el otro día le había gastado una broma de mal gusto o le había soltado un comentario fuera de lugar.

–¡Anda, hombre! ¿A qué viene eso ahora? –lo reprendía mi madre–. Sabes de sobra que ese está como un cencerro, de toda la vida. Pero lo del Quirico es otra cosa.

–Oye, voy a hacerte una protección para que vayas más tranquilo por la vida.

–¿Ah, sí? ¿Una protección...?

Mi padre tenía la costumbre de repetir el elemento fundamental de la frase que acababa de oír, como para reforzar la comprensión. Al oír «protección» abrió los ojos, comprimidos por las gruesas cejas, creyendo que le iba a recetar el remedio de todos los males. La cataplasma celestial que lo salvaría de todos los pelagatos que lo incordiaban.

–Es una protección que tendrás que llevar siempre contigo, y te ayudará, pero tú también tienes que aprender a no hacer caso a esos hombres. ¿Sabes eso que dicen de que dos no se pelean si uno no quiere? Pues es lo que tienes que hacer tú.

El sermón no lo convenció del todo. El miedo a que no lo comprendieran y la necesidad de que lo compadeciesen, todo a la vez, le hizo lanzar el insulto definitivo, la estrella de los improperios que más le gustaba dedicar al Quirico:

–Es que es un filipollas de verdad, oiga. ¡Un filipollas como la copa de un pino!

Y mi hermano y yo procurábamos aguantarnos la risa. El Hombre de Allá Arriba siguió con su plácida sonrisa hasta que insistió en el mensaje de autocontrol. Mi padre siempre ha dicho «filipollas» en lugar de «gilipollas». Es la única persona a la que se lo he oído decir. La adaptación que ha hecho de la palabra castellana concuerda perfectamente con la sonoridad del catalán. La jota castellana es un sonido ajeno a su sistema, pero al empezar una palabra con efe se la hace más cercana. Supongo que oyó «gilipollas» por primera vez en la fábrica. Después hizo una derivación osada y llegó a decir del encargado de la fábrica que estaba «afilipollao».

El señor Fèlix enriqueció el campo semántico de mi padre, que se reducía a «pelagatos» y «filipollas»:

–Siempre ha habido necios y siempre los habrá. Tú procura apartarte de ellos.

U otra versión:

–Ten en cuenta que los memos no nos hacen ninguna falta. Allá ellos.

O, en otra visita:

–Algunos disfrutan haciendo el majadero. Pues tú ni caso.

Yo apuntaba las palabras. Cuando mi hermano y yo teníamos edad suficiente para estirarlas, jugábamos a encadenar insultos. Nos los intercambiábamos como si diéramos puñetazos al aire, y el primero que se quedaba en blanco perdía. Debe de ser un juego universal. «Filipollas» no valía. Empezábamos por los más normales...

–Burro, imbécil, idiota, capullo, tontolculo, estúpido...

Y después, poco a poco, subíamos de tono con una falta total de corrección y de educación. Y cada vez gritábamos más.

–Subnormal.

–Borrico.

–Zopenco.

–Atontao.

–Gandul.

–Pelagatos.

Los cortos salían con más facilidad. Algunos se asociaban, propulsados por el abecedario. Hay montones de exabruptos que empiezan por be o por te:

–Bobo

–Borrego.

–Bocazas.

–Tarado.

–Tontolaba.

–Tocho.

–Tolai. –Este insulto de dos sílabas marcaba un punto de inflexión.

–¡Tocahuevos!

–¡Tarugo!

–¡Eh, ese no vale! –protestaba él... o yo, aduciendo algún motivo tiquismiquis de corte lexicográfico.

Eso quería decir que estábamos a punto de llegar a las

piezas de museo, que vomitábamos con alegría y regocijo, a un volumen desgañitado y con una postura desafiante, como chulos callejeros tocados del ala:

–¡Corto de entendederas!

–¡Cabeza de alcornoque!

–¡Botarate!

–¡Cretino!

Seguro que alguno lo habíamos oído en una película o en una serie americana que se había permitido una solución finolis o punki para traducir un insulto. Otros habrían salido de la boca de una de las muchas personas mayores que venían por casa a menudo. Y de otros no sé identificar el camino por el que esquivaron los polígonos, la autopista, la vía del tren y la apisonadora que todo lo allana, lenguaje incluido, para llegar hasta nosotros. Podría decir que copiábamos al capitán Haddock, pero me lo estaría inventando. En casa nunca entró un Tintín.

–¡Ceporro!

–¡Cebollino!

–¡Cernícalo!

–¡Ciruelo!

–¡Cabeza de chorlito!

–¡Mentecato! –Este siempre nos hacía reír a carcajadas.

–¡Caraculo! –Mi hermano me lo llamaba a menudo y me daba mucha rabia.

–¡Caníbal! –Si se apoya uno en la sílaba tónica con mala leche, parece un ejército de elefantes insultando y blasfemando: «Caníiibal.»

La competición podía terminar de dos formas: o enfadados de verdad porque la ristra de insultos soltados a toda pastilla nos había emborrachado un poco y uno de los dos pensaba que había tenido más salero que el otro en la gimnasia del ultraje y era, por lo tanto, el vencedor, o bien intervenía nuestra madre con su «eh, basta ya, que me calentáis la cabeza» y, para asegurarse de que había puesto punto final a la batalla, nos mandaba a uno de los dos a hacer una tarea doméstica.

Al acordarme de insultos que hacía tiempo que no oía me he ido del despacho del Hombre de Allá Arriba. La vibración interna de «caníbal» y «mentecato» me ha dejado una sonrisa boba en la cara.

–Pues, cada vez que veas a ese vecino que dices, el Quirico, tú, como si pasara un perro. Tú a lo tuyo. Y con esta protección que voy a hacerte, ya verás como te quedas más tranquilo. Lo que tienes que evitar es liarte con él, porque eso es lo quiere. Pretende hacerte caer en la trampa.

–Y la protección esa es lo que tengo que coserle a los calzoncillos, ¿no? –preguntó mi madre en un alarde de sentido práctico.

–Sí, después os lo dejo todo listo. Voy a preparar estos papeles, que son los de las novenas. Este lo tienes que llevar metido en un sobrecito de tela, es una cosita de nada que no molesta...

–Ah, ¿eso no molesta para trabajar..., ahora que llega el verano...?

–Ni lo notarás. Te lo prendes a los calzoncillos con un imperdible y ya está. Te servirá de ayuda en los momentos en que se metan contigo. Porque lo que te pasa a ti es que tienes miedo. Si no, no te parecería tan grave. Y ten en cuenta que el miedo es una cosa que se la inventa cada uno.

–Entonces..., ¿el miedo se lo inventa cada uno? –tanteó mi padre, por la mecánica de la repetición.

–Siempre se puede tener miedo de todo, pero te impide avanzar, seguir adelante. Una cosa es estar atento y no cometer imprudencias y otra muy distinta ir por la vida con miedo. No, así no se construye nada. A veces no sabemos el efecto que llega a tener el miedo, el poder que ejerce, de qué forma llega a atenazarnos hasta que no podemos ni movernos.

No estaba segura de entender bien esta reflexión sobre el miedo, porque cuando lo tenía, era una cosa muy de dentro, muy pegada a mí, pero me pareció pertinente que se la aplicara a mi padre. Si no, ¿por qué estaba todo el día señalando al vecino o al de la fábrica? De mayor he tenido que volver a pensar en el miedo. Quizá porque deja de ser un juego y se convierte en carne viva. En los primeros meses de embarazo lo tenía pegado a la piel. Y no sabes qué hacer ni por dónde tirar, porque te paraliza.

–Y ahora, levántate, que voy a echarte una mirada.

Mi padre se levantó de la silla poco a poco, con la mano en la espalda, para demostrar que le dolía un poco.

–Es que esta mañana hemos terminado de arrancar las patatas, que han salido muy buenas este año. Son kennebec. ¿Le gustan? Si quiere, la próxima vez que vengamos le traigo unas cuantas.

Y los demás entendíamos que era el momento de guardar silencio.

–No es por nada, pero el chico se parece a mí, no le disgusta el trabajo.

Mi padre siempre colaba una cuña publicitaria cuando le tocaba el turno a mi hermano. Destacaba todas sus virtudes y procuraba darles lustre mediante un espejo deformante de parecidos y disparidades. De mí no había dicho nada. Mi hermano se tomaba los halagos sin decir ni pío ni perder la expresión afable.

–Es de buen comer, no como la chica, que es muy melindrosa. No es por nada, pero el chico está fuerte como un toro, ¿verdad?

La fórmula con la que ponía en marcha estas observaciones delataba efectivamente las ganas que tenía él de soltarlas. Y a veces esta ausencia de freno cortaba la explicación de mi hermano, que tenía que completarla después.

–No es por nada, pero el chico ha salido buena persona.

–Los dos son buenas personas –añadía mi madre para compensar la balanza cuando la cosa chirriaba más de la cuenta.

Y yo miraba al techo y me esforzaba por parecer que me hacía la sueca. El ejercicio consistía en desplegar una piel muerta entre la realidad y yo. Después me costó mucho quitármela. Y todavía hoy dudo que me la haya quitado entera.

–No es por nada, pero se le da muy bien montar a caballo. Lo dice hasta Candela, conque...

Candela era la mujer de la hípica en la que mi hermano estuvo una temporada aprendiendo a montar a caballo. Mi padre hablaba de ella como si todo el mundo supiera que sus opiniones eran incorruptibles. Eso de «lo dice hasta X» era el enunciado ordinario para ungir con óleo sagrado las verdades irrefutables. Pero mi hermano no intentó parar tanta desmesura paterna hasta unos años después, ya fuera por vergüenza, por los picores de la adolescencia o porque le molestaba la desproporción. Y lo hacía chasqueando la lengua, soltando un bufido de aburrimiento o un «no exageres, ¿de dónde sacas eso?».

Pero mi padre volvía a las andadas, impasible.

–Ahora juega al balonmano y, no es por nada, pero es de los más importantes del equipo. Lo dice hasta Manolo, ¿verdad? –dictaminó, cuando su hijo probó este otro deporte.

El Hombre de Allá Arriba moderaba los panegíricos de orgullo patriarcal recordando que cada cual sirve para lo que sirve, que no se puede ser el mejor en todo y que cada persona tiene que buscar su camino. Lo decía con los ojos entrecerrados y una actitud moderadamente pícara, alternando la mirada entre el padre y el hijo. Cuando mi hermano empezó a repetir cursos en el instituto, el gesto pícaro se acentuó. El Hombre de Allá Arriba veía con toda claridad lo inútiles que eran las coartadas que se inventaba para justificar las repentinas malas notas, cuando las matemáticas, las naturales o la historia se le habían dado bien hasta entonces.

Mi padre no decía nada. No entendía para qué podía servir estudiar ni le interesaba nada que tuviera que ver con los libros. Se empecinaba en aplicar a todos y a todo su mapa mental de buenos y malos; como mucho, a lo mejor tomaba nota de que tal profesor debía de ser un pelagatos –«con lo que abundan, el Quirico, sin ir más lejos»– o recordaba que a su hijo nunca le faltaría empleo, porque había salido tan trabajador como él. «Mientras sea trabajador, ya vale, no es por nada...»

En una ocasión, la visita coincidió con el cumpleaños de mi hermano, en marzo. Fue lo primero que dijo mi padre en cuanto entró por la puerta. Lo anunció como si esperase recibir un premio al año por cuenta de su hijo, por lo macizo que estaba y lo productivo que era el muchacho. Mi padre solo se acordaba del cumpleaños de mi hermano, del de mi abuela y del suyo.

Lo de los cumpleaños tenía su gracia en nuestra casa. Nunca los celebramos como los suele celebrar la gente: no había tarta, ni velas que soplar ni regalos. A veces, con un poco de suerte, nos caía un dinerillo o algo que necesitáramos, como bragas, bolis, calcetines o cuadernos. Otras veces, nada. Cuando era el cumpleaños de mi padre y lo felicitábamos, siempre respondía con la misma ceremoniosidad:

–Gracias, hombre, y tú que lo veas.

Y se emocionaba un poco. Y luego añadía, como siempre, sin variaciones:

–Y por muchas veces y todos que lo veamos.

Y se emocionaba un poco más todavía. Aunque parecía de piedra cortada, mi padre se emocionaba con facilidad. Cuando nos felicitábamos entre nosotros, mi hermano y yo nos burlábamos a menudo de la frase «y tú que lo veas».

Unos años después del cumpleaños en la consulta de

Berga, mi hermano me confesó que también temía lo que pudiera verle el Hombre de Allá Arriba. Precisamente él que siempre me había parecido que se tomaba las cosas con un conformismo dócil, sin calentarse la cabeza, por lo visto también tenía sus teorías:

–Me parece que el señor Fèlix veía muchas cosas, pero algunas no te las podía decir, porque, si las hubieras sabido antes de tiempo no habrías hecho nada. Supongo que a veces se encontraría en una situación comprometida porque no podía decirlo todo.

Me hizo gracia comprobar que habíamos tenido sensaciones parecidas: como si el Hombre de Allá Arriba nos mirase con un telescopio y pudiera vernos por dentro y en el futuro, y con el telescopio interpretara las sombras que nos inundaban, si seríamos estrella o meteorito, la estela que dejaríamos... ¿Qué me vería ahora el Hombre de Allá Arriba? ¿Qué cuento me contaría?

A mi hermano nunca lo censuró abiertamente. Por lo que recuerdo, adoptaba la vía de la sutileza y se notaba que le hacía ciertas preguntas que después resolvía él mismo con una salida humorística, como para quitar hierro al asunto.

Solía contar episodios del hijo pródigo que de mayor lamentaba haber hecho el zascandil, o de un chico que se había fundido toda la herencia en drogas, o de otro que llevó el negocio familiar a la ruina. Se expresaba de una forma tan razonable, tan ecuánime y con una ironía tan fina que las enseñanzas de los cuentos éticos que nos contaba nos causaban una profunda impresión.

–Y no creáis, porque aquella familia perdió hasta la camisa por culpa del hijo que no quiso hacer caso de nada.

Mi hermano atendía con gusto cuando nos contaba estos episodios, como buen chico que era. La verdad es que no hacía cosas estrambóticas, solo abolló tres coches y disfrazó una resaca de órdago con una mentirijilla que a mí se me atravesó. (En la época fuerte de las pastillas sintéticas, atribuyó la trompa a que le habían echado «algo en el vaso». Apretó el botón de la mala suerte, tan eficaz en casa, y así dio gato por liebre; y se zamparon el gato, y él tan tranquilo, y por eso, luego, cuando empecé a salir yo, nunca soltaba el vaso.) Al final mi hermano se ganaría la vida en una empresa de distribución de alimentos. Y no es por nada, pero se la gana bien. Y tiene dos hijos preciosos: la niña se parece mucho a él, y el niño es clavado a su madre. Ni hecho a propósito.

Cuando mi hermano se levantaba de la silla y se iba al lado derecho de la mesa para que el Hombre de Allá Arriba le echara un vistazo, me ponía a hacer muecas para que se desconcentrara y se le escapara la risa. Mi madre me frenaba las intenciones con una mirada amonestadora.

–Relájate, coge aire y sácalo hasta que no puedas más.

Volví a fijarme en el Jesucristo del cuello torcido.

Entre los cuatro que íbamos a la consulta, más algún familiar añadido al que «echaba un vistazo», estábamos allí a lo mejor una hora y media o dos. Mi padre sacaba dos o tres billetes de la cartera y los dejaba en la mesa con un gesto chapucero y desacompasado.

Cuando la salud de la abuela no le permitía hacer el trayecto hasta Berga, el señor Fèlix le echaba un vistazo concentrándose en una foto y en el nombre que había escrito ella en un papelito, en casa. La atención era máxima en el caso de las visitas a distancia. En uno de estos vistazos dictaminó que la abuela no tardaría en apagarse. Fue una de las cosas que *vio*.

Hacía tiempo que la abuela había dejado de reírse a carcajadas, unas carcajadas que se permitía liberar de vez en cuando como quien suelta lastre. Entre un «hemos venido a este mundo a sufrir» y un «vosotros no sabéis lo que sufro», a veces, cuando quería burlarse de alguien, soltaba una carcajada desbocada que nos pillaba a todos por sorpresa, a ella la primera.

–¡Esa es una Filomena!

Toda mujer que no le cayera bien era susceptible de

ser una Filomena. Y ese nombre, con solo pronunciarlo, la hacía reír.

A menudo venía a verla una prima por parte de madre. En cuanto la prima se iba, empezaba a ser la Espatarrina. Imposible acordarme de su verdadero nombre. Se lo tragó la leyenda.

–Anda bastante ligera la Espatarrina, ¿verdad? La encuentro la mar de maja –comentaba cuando ya no estaba, envidiándole la movilidad que había perdido ella.

Yo miraba a la señora de arriba abajo pensando que si le habrían puesto ese apodo porque andaba con las piernas muy separadas. Pero no. Mi abuela se lo llamaba por permitirse una alegría inofensiva. Si subía el tono de la burla, se tapaba la boca con la mano. La dentadura le bailaba en aquellas encías de arena de playa. Y la abuela, que se santiguaba cada vez que montaba en un coche, debía de creer que se había excedido.

–Ese es un tabernáculo. –Y a mí «tabernáculo» me sonaba a «tubérculo».

No sé de dónde lo habría sacado, pero lo decía siempre que podía para disparar contra cualquier memo.

O bien:

–Menuda pazguata está hecha esa, ¡tiene una cara de espantajo...! –Y al final, por obra y gracia de un implacable brochazo, un nutrido grupo de mujeres del pueblo eran todas unas pelanduscas.

Y más lejos aún quedaba la época en que la abuela jugaba conmigo a «Los cinco deditos» con mi mano, y yo, sentada en su regazo. O me ponía a trotar cantando «Arre borriquito, vamos a Belén» y cuando había cantado la canción un par de veces y se cansaba, pero yo quería más, me bajaba diciendo: «Baja, anda, no te vayas a enviciar.»

El final abrupto de la canción no dejaba de ser una

muestra de su fuerza o de su fragilidad. O de las dos cosas. Eso nunca lo sabré. Su «baja, no te vayas a enviciar» debía de tener algo que ver con la mujer que había llegado de nuera a una casa de campesinos, de campesinos indómitos, y había tenido que agachar la cabeza ante el poder del suegro, la cuñada y el marido; o quizá con la resistencia de una persona a la que había arrollado una furgoneta y todavía había tenido valor para vivir unos años de propina.

La Espatarrina, parlanchina y lozana, solía venir a casa con noticias frescas del pueblo. Desgracias preferentemente. Una muerte súbita, dos seguidas en la misma familia, un suicidio, un escándalo matrimonial. Y cuando terminaban con las desgracias frescas repasaban las antiguas.

–¡Huy, sí, ya lo creo! El de Casa Xisclet zurraba a su mujer. Le amargó la vida –afirmaba la Espatarrina para atesorar la calidad de su información.

Parecía que la Espatarrina y mi abuela compartían un deleite íntimo recordando todas las desgracias, como al pasar el dedo por una ventana y constatar que la cantidad de polvo era la que se esperaba encontrar. Estas cosas les permitían reconocer los azares de una comunidad y respirar de alivio porque la mala suerte no se había cebado con ellas.

–La verdad es que cada cual lleva su cruz a cuestas –decía mi abuela indefectiblemente, a modo de conclusión de los infortunios más tremebundos.

Decía «lleva su cruz», pero como si hubiera dicho: el destino está escrito y no se puede remediar, es inevitable, y más vale conformarse.

Yo la escuchaba como si me contara cuentos de miedo, pero entreveía el drama. La idea de la cruz me agobiaba de verdad. Por repetitiva. Por pesada. Por asfixiante. Seguro que con una cruz a cuestas no se podía andar recto ni se podía elegir nada. Y cuando te decidieras a andar erguida pensarías: y ahora ¿dónde narices me meto yo la cruz?

Me vuelve a la cabeza la idea del poso negativo del que me tengo que deshacer. Tal vez, por mor de la exactitud y en honor al carrete de fotos que se extravió cuando era una niña de pecho, tenga que revelar mi negativo y después quitármelo de encima. Eso es lo que vamos a hacer. Por eso sigo llenando páginas por la noche. Simó me mira mientras escribo y me dice:

–¿Qué mosca te ha picado, Mila?

Aunque parezca extraño, traer al presente recortes de aquel mundo pequeño me ayuda en esta operación de revelado. Lo hago como se hacía antes: me encierro en un cuarto oscuro y, por mediación de ciertos líquidos, consigo que emerja una imagen clara. Pero a Simó le digo solamente que me ayuda a relajarme. Es respetuoso y pulcro con mi intimidad y sé que no se dejará llevar por la indiscreción ni pretenderá cazar al vuelo ninguna idea de este cuaderno.

No sé si el día en que el Hombre de Allá Arriba nos comunicó la sentencia sobre el final de la abuela vio una cruz o vio una conclusión inapelable.

–Del mismo modo que en otras ocasiones os dije que todavía podíamos arreglarla un poco, os digo ahora que sí, que me parece que se está apagando. Esta mujer tiene muchas cosas, su cuerpo ya no lo resiste. Se irá apagando poco a poco –especificó después de pasar la mirada y los dedos por la fotografía de la abuela.

Siempre era la misma fotografía: una en la que se la ve delgada, con la nariz como si siempre tuviera mocos; parece que se le vayan a caer las gafas de varillas de los ochenta, y lleva una falda azul marino por debajo de las rodillas y una camisa por dentro que le marca el pecho caído, a pesar del último intento de llevar corsé antes de descoyuntarse del todo. Un poco fúnebre en conjunto.

La afirmación del señor Fèlix le cayó a mi padre como un cubo de hielo picado; el hombre musitó con levedad: «Entonces, ¿se está apagando...?», y se le empañaron los ojos. Mi madre se lo tomó sin sorpresa, como una consecuencia lógica, habida cuenta de que era ella la que más de cerca vivía el pulso diario de la abuela:

–Se ha ido deteriorando mucho últimamente.

Mi padre miraba al suelo con los ojos húmedos.

En el camino de vuelta pasábamos por unas carreteras con cuestas pronunciadas y muchas curvas. Yo a veces me imaginaba que salíamos volando por culpa de una cruz de esas que representaba la abuela repartidas por el mundo. Notaba ya la opresión en el pecho que sube por los pulmones y deja un vacío en el estómago, la opresión de cuando se está en el aire sin saber dónde se va a caer ni si podrá una levantarse después, cuando mi madre lanzó el aviso de que había que poner los dos pies en el suelo, a tiempo, como siempre:

–A la abuela no hay que decirle nada de todo esto, ¿eh? Es mejor que no lo sepa. No hace falta preocuparla.

¿De qué sirve preocupar a alguien por una mera eventualidad?, me digo ahora. Simó no se lo merece.

Cuando llegamos a casa, la abuela no paraba de escupir. La pregunta de costumbre de qué había dicho el Hombre de Allá Arriba se saldó con un «lo de siempre, le ha dado un repasito para que siga tirando» de mi madre. Mi padre no dijo nada. Fue a ponerse la ropa de trabajo y volvió al huerto. La abuela parecía consolada, pero volvió a llevarse el pañuelo a la boca para escupir.

–Tráeme otro, Mila, anda.

Cogí con la punta de los dedos el pañuelo completamente empapado, lo dejé en el cesto de la ropa sucia y saqué uno limpio del primer cajón de su mesita de noche. Aquella tarde, cuando volvimos tan alicaídos, cambió el tiempo en un abrir y cerrar de ojos y, al oír los primeros truenos, mi madre me mandó bajar las persianas y cerrar las ventanas. Entretanto ella se fue corriendo a recoger la ropa del tendedero. Cerrar las ventanas cuando amenazaba tormenta era un imperativo legal. En casa se contaban historias antiguas sobre tormentas eléctricas, según las cuales el rayo se cuela por cualquier hueco que encuentre y puede entrar en casa. La abuela empezó a recordar por enésima vez a una prima lejana que había visto cómo un rayo partía un roble delante de la masía. «¡Desde luego que un rayo puede entrar por donde quiera!» Y así veíamos pasar la tormenta, medio ahogados dentro de casa, sin oler la tierra mojada por temor a que viniera a partirnos un rayo.

A mi madre nunca le dolía nada. O se lo callaba, hasta el punto de que a veces nos enterábamos en el despacho del Hombre de Allá Arriba de que últimamente tenía dolores de barriga. Estaba tan acostumbrada a velar por la salud de los demás que se olvidaba de sí misma o no le daba importancia. Llevaba fidedignamente la cuenta de las pastillas que tenía que tomar la abuela, pero no se acordaba de lo suyo propio.

Si el señor Fèlix veía algo más allá, sin la menor duda era en lo tocante a la distribución de las casas. Interpretaba cuáles eran las paredes maestras, los muebles viejos, los sofás incómodos de adorno y las mesas con una pata floja.

–Eres el tronco de la casa, fuerte como un roble, sí, pero tienes que cuidarte. Piensa un poco más en ti. Porque no puedes fallar, ¿eh?

Mi madre se explicaba de una forma completamente distinta a la de mi padre. Ponía la pátina de la puntualización a lo que mi padre esbozaba en bruto como hechos absolutos, a base de pensamientos embutidos con calzador y aproximaciones vacilantes a la realidad. Y detallaba con exactitud los hechos que habían sido el detonante de una dificultad o de un incendio. Siempre solo lo justo y necesario, nunca más de la cuenta. En la mesa del Hombre de Allá Arriba, mi madre tenía por costumbre tamizarlo todo con adverbios y palabras suaves.

–Ese Quirico es un poco *troli,* pero ya lo sabíamos.

El sonido juguetón de «troli», una palabra que solo se la he oído utilizar a mi madre, le permitía decir lo que se le antojaba pero con más alegría. Y al final el Quirico no parecía más que un tontorrón sin importancia. Mi madre era especialista en dar carpetazo a las cosas sin pensarlo mucho.

Con el Hombre de Allá Arriba se desahogaba a cuentagotas, aunque es posible que con esas dosis tuviera más que suficiente. Cada palabra del señor Fèlix le servía de guía, la ayudaba a llevar el timón en la intemperie. Si se enfadaba, reservaba unas efusiones particulares para uso doméstico en exclusiva, y la mía predilecta era la siguiente:

–¡Es que le machacaría la cabeza, te lo aseguro!

Se la dedicaba solamente a quien la hacía enfadarse mucho. Aunque, al contrario de lo que podría parecer, la decía a menudo. No era una verdadera amenaza ni tenía ella la menor intención de cambiarle a nadie las dimensiones de la cabeza (algunos ni lo notarían, pero eso ya es otra historia). Yo también la digo en circunstancias parecidas, sin darme cuenta, porque me parece que es una forma muy gráfica de manifestar enfado y deseos de que desaparezca, o de eliminar la causa. Para mí, no tiene resonancias agresivas ni salvajes. Pero Simó me recomienda que no la diga, que queda feo.

–Pero no pretendo machacarle la cabeza a nadie.

Aun así, él insiste en que me la guarde para mí. No sé. A lo mejor tiene razón... De acuerdo, no volveré a decir que le machacaría la cabeza, pero qué pereza... Y, sin poder evitarlo, vuelvo a pensar en la selva amazónica como improbable saco amniótico del que salí. Y contrapongo el saco amazónico con el saco de aquí, donde a veces parece que tengas que justificarte demasiado por todo, disculpe usted, por si acaso. ¿Y qué saco asumirá Bruna como propio?

A lo mejor tengo una gemela en la Amazonia que cree que la han expulsado de una metrópolis de portland que adora y se pregunta por qué la han dejado allí en medio, entre osos hormigueros, víboras y jaguares, rodeada de cedros y curbariles. Puede que no en la Amazonia, pero estoy convencida de que todos tenemos un ser gemelo en el mundo al que nunca conoceremos; nunca nos presentarán, pero si nos pusiéramos juntos seríamos dos piezas que encajarían. Y a ese ser del otro lado lo inunda el mismo desconcierto que a mí. Ahora que lo pienso, no descarto que esto no sea, sin querer, otro tic o truco de los míos para hacer literatura, como cuando creía que las ovejas balaban para velarme el sueño.

Mi madre no era cedro ni curbaril, ni palisandro ni copayero ni ningún otro árbol tropical, sino que era un roble plantado para protegernos en aquel lugar inhóspito. A su lado, yo seguía las instrucciones que daba el Hombre de Allá Arriba sobre las novenas que teníamos que hacer, para qué servían los papeles que nos preparaba, cuándo teníamos que ponérnoslos... A mí solía recetarme calcio y unas vitaminas, según la época. Las dos cosas eran pastillas efervescentes que me tragaba haciendo mil y una muecas.

El Hombre de Allá Arriba tenía siempre a mano un librito de papel de fumar. Cogía uno y le hacía tres cruces. Lo mordía suavemente para impregnarlo de saliva y escribía en él el nombre correspondiente. Ese librito serviría para hacer las novenas. Por la noche, antes de ir a dormir, sacábamos un papel y lo poníamos en un plato pequeño con un poco de agua (solíamos usar el platillo de los berberechos y las aceitunas del vermut de los domingos). Cogíamos un poco de algodón, lo empapábamos en el agua, lo escurríamos y nos lo pasábamos por algunas partes del cuerpo: la frente, el pecho (en vertical y en horizontal, como haciendo la señal de la cruz), los brazos, las piernas y la espalda. Nueve veces en cada parte. La operación llevaba su tiempo. En la espalda nos la hacía mi madre. En invierno, hacíamos las novenas junto a la chimenea, porque en el cuarto de baño hacía frío. Nos quedábamos en bragas o en calzoncillos. Y hala, a pasar el algodón una y otra vez. En caso de embotellamiento delante de la chimenea, alguien tenía que desterrarse al lavabo.

Nueve días pasándonos el algodón húmedo por todas las extremidades, como si las punteáramos para recordarles que están ahí. Al final mi madre guardaba los papeles y los trozos de algodón húmedos, todos juntos, y los quemaba en el fogón unos días más tarde. El agua que sobraba de las novenas se la echábamos todas las noches a la planta del pasillo. Era una planta trepadora y no paraba de crecer, cosa que aumentó el impacto del efecto energético que tenían las novenas.

Si preguntaba a mi madre por qué echábamos esa agua a las plantas o para qué creía que servían las novenas, siempre me contestaba:

–Mal no te van a sentar, Mila.

Y como no nos iban a sentar mal, creíamos que nos sentarían bien.

Los papeles del Hombre de Allá Arriba servían para más cosas. Si en casa se producían muchos contratiempos al mismo tiempo, el Hombre de Allá Arriba nos daba una receta para cortar la mala racha. Pongamos que habíamos tenido que afrontar gastos imprevistos, que el Quirico le había hecho tres jugarretas seguidas a mi padre y que a la abuela se le había hecho oscuro dos veces en un mes. «Es como si nos hubieran entrado malos espíritus», exclamaba mi madre, harta de tener que atender a todo. Ante ese cuadro, el Hombre de Allá Arriba prescribía una acción para cortar de raíz tanta mala suerte.

–Haced una novena en las escaleras de entrada a la casa. Con una taza y un papel de estos, salpicad todos los peldaños todos los días y ya veréis como lo notaréis.

Mi madre ponía un papel de fumar con agua en la taza marrón en la que tomábamos el Cola-Cao por la mañana y, con un trocito de algodón, salpicaba las escaleras para que se fueran los malos espíritus. Nos pasábamos nueve días remojándolas y, fuese por lo que fuese, dejaban de llegar gastos inesperados, la abuela estaba una temporada sin eclipses y el Quirico se recluía en su casa sin más. Así nos parecía que funcionaba la vida.

En la almohada de la cama teníamos otro protector. Era un papel metido en un sobre de tela que se guardaba dentro del almohadón. Algunas veces, al mover la cabeza mientras dormía, oía el crujido del sobre y me daba seguridad. Un espejismo de protección. Como el balido de la oveja o la gemela de la Amazonia.

Es increíble cómo se hermanan las cosas a veces. Después de la noche de fiesta con Jonás me dormí con inquietud. De madrugada, moviendo la cabeza a izquierda y derecha, me despertó un crujido del almohadón. Por unos segundos creí que tenía la cabeza apoyada en la almohada de casa, la de toda la vida, encima del sobre mágico del Hombre de Allá Arriba. Fue una asociación libre y placentera, fruto seguramente de cómo había terminado la noche, de cómo quería que siguiera siendo la vida. Hacía años que no pensaba en los sobres del almohadón.

No sé si contarle algo de todo esto a mi madre. A lo mejor me ayuda esa manera suya de quitar importancia a las nimiedades. Pero también es cierto que temo que sea peor el remedio que la enfermedad, así que mis dudas me impiden tomar una decisión y guardo silencio. Al fin y al cabo, mi madre suele decir que «cuanto más se revuelve la mierda, peor huele».

El Hombre de Allá Arriba entró en casa de una manera franca, perfectamente comprensible. Tanto mi padre como mi madre provenían de familias campesinas que creían más en las supersticiones que en un dios inaccesible, se inclinaban más por los remedios caseros y de siempre que por los vademécums tóxicos. A ese tal dios no le hacían feos, pero tampoco reverencias. Si iban a misa no era de buen grado. No perdían el oremus por comulgar todos los domingos ni por confesar los pecados.

–Una cosa es la fe y otra la Iglesia y los curas –decía muchas veces mi madre que le decía su madre.

Por parte de mi padre, la notoria costumbre de proferir denuestos –los mecagüendiez y compañía– no le impedía tratar al párroco –el señor rector–, cuando se lo encontraba, como a una autoridad secular. Pero era mucho más secular la costumbre de creer en ánimas, en fuerzas y males de ojo que no se ven, pero que están, en cruces y destinos indescifrables; él y los suyos se dejaban llevar –nos dejábamos llevar– por la costumbre de creer en otras realidades, en otras formas de curación, también en otras formas de entender la enfermedad y en el porqué de todo ello. Y aquí estoy, escribiendo sobre los tam-tams de una tribu fuera de lo corriente.

Los míos se insertaron con toda naturalidad, sin proponérselo, en la más pura y auténtica tradición de los heterodoxos, los que no responden a modas ni a guiones predeterminados. ¡Con la de esnobs que hay por ahí dispuestos a hacer la carrera de alternativos!

Yo siempre había oído contar historias sobrenaturales. Una curandera tuvo que hacer una limpieza en casa de los padres de la abuela, cuando ella era pequeña, porque no ganaban para disgustos. La muerte de un hermanito pequeño, la parálisis de una mula que tuvieron que sacrificar, la mísera cosecha de aceitunas y toda una añada de vino que se echó a perder, rancio.

–Pero ¿qué quiere decir que os hizo una limpieza de la casa? –le pregunté a mi abuela.

–Puñetas, pues que la limpió de malos espíritus o lo que fuera aquello, qué sé yo –respondía de carrerilla. Su reacción me hacía muchísima gracia–. Se llamaba Trini. Me acuerdo de un día que llegó con una sartén llena de hierbas y empezó a recorrer toda la casa; en algunos rincones la sartén se encendía, no sé por qué, hasta que, al llegar a la bodega, la que se había hundido un día y tenía un agujero negro como un escarabajo, se encendió mucho más y se vio una calavera entre las llamas.

–¡Esto parece sacado de una película, abuela...!

–Oye, Mila, que no me lo invento. Lo he visto con mis propios ojos –proclamó, ofendida por la sospecha.

Esta clase de anécdotas eran corrientes. En comparación, las instrucciones del Hombre de Allá Arriba, las visitas a un despacho tan civilizado como el de Berga, parecían ciencia pura. No tenían nada de esotérico. Y no por eso dejábamos de hacer las visitas protocolarias al médico. Lo único era que mi madre nos recordaba a mi hermano y a mí que el lunes no contáramos en el colegio que habíamos ido a ver al Hombre de Allá Arriba. Era una pena, porque, para mí, eran las únicas salidas al mundo exterior. Me moría de ganas de anunciarlo, de proclamar los remedios del Hombre de Allá Arriba, las historias y los consejos fenomenales que nos regalaba, e incluso el descubrimiento de que yo tenía un don. Pero mi madre nos imponía discreción y mesura. ¡Cuánto se lo agradecí años después!

Traspasábamos la frontera del barrio-autopista-polígono-pueblo en contadas ocasiones. Los domingos íbamos muy temprano al mercado con mi madre. Al mercado del Pueblo Pegado a la Ciudad de al Lado. Comprábamos fruta y, a veces, ropa. Era el sitio más barato. Se me ha quedado grabada en la cabeza una idea de exceso, como la tinta que se corre de una acuarela: siempre íbamos tempranísimo y siempre hacía muchísimo frío. Yo deambulaba por allí amodorrada y traqueteada por las voces de las gitanas que querían vendernos bragas o vaqueros. «¡Do braga, sien peseta!» Había que ir temprano para encontrar aparcamiento. Una vez más nos salvaba el sentido práctico de mi madre. Y el lunes no tenía valor para hablar de las adquisiciones hechas en el mercado porque la mitad de la clase competía por lucir deportivas y vaqueros de marca. Habría sido la bomba soltar algún detalle de la figura del Hombre de Allá Arriba.

Los papeles de fumar ungidos con cruces y saliva también nos servían cuando necesitábamos una «ayuda» en momentos concretos. Por ejemplo, si tenía un examen en el instituto y solo había estudiado a última hora –cosa habitual, por otra parte– y notaba un cosquilleo en la barriga, cogía un papelito de esos. Lo arrugaba formando una pelotita y me lo tragaba como si fuera una pastilla. ¿Qué cantidad de papel acumulé en el estómago? Estaría bien averiguar si el papel, aunque sea del de fumar, deja algún rastro. O si eso contribuyó a que después me dedicara al mundo de los libros de texto... Sandeces, ya lo sé. Pero en plena era digital, veo ese papel de fumar como un emblema tribal: un hilo de papel revestido de poderes curativos.

–Tómatelo, que mal no te va a sentar –me aconsejaba mi madre ante cualquier duda.

Si todavía estuviera por aquí el Hombre de Allá Arriba, me lo tragaría sin dudar.

Una mano en la frente y la otra en el estómago, justo donde empiezan las costillas. Tengo la parte superior del tronco más bien estrecha, así que esa mano me producía algo entre cosquillas y sensación de malestar, pero tenía que aguantarme como podía. Y tenía que evitar reírme, porque mi hermano se vengaba de mí intentando distraerme para que rompiera el silencio trascendental del momento. El Hombre de Allá Arriba me intimidaba cuando me imponía las manos para echarme un vistazo. Yo procuraba concentrarme en la música y en el ruido del casete al girar, y en la cinta, que se rebobinaba sola cuando llegaba al final. Miraba fijamente la pared de color amarillento.

–Respira hondo tres veces.

Él acompañaba los movimientos del pecho y a mí me sorprendía poder aspirar tanto oxígeno y después dejar los pulmones tan vacíos. Mi padre inspiraba y espiraba por la boca, como si se ahogara o llegara siempre tarde, cosa que le hacía parecer más cansado, como si estuviera «averiado». Mi madre no sacaba mucho aire, pero, por los movimientos del voluminoso pecho, parecía que sacara mucho más. Y la abuela, que llevó corsé hasta que pudo y tenía el pecho hecho una pena, respiraba a bufidos. Mi hermano, serio hasta la punta del pie, no movía ni un músculo de la cara mientras hacía circular el oxígeno. A mí respirar tan hondo me mareaba.

Después de las respiraciones, el señor Fèlix colocaba las manos en diferentes puntos del cuerpo, como si las escuchara: la frente, el corazón, el estómago, la espalda... Y luego nos las pasaba por los brazos y las piernas de arriba abajo. Era agradable. En la frente la dejaba un buen rato, rozando las pestañas. Precisamente por eso me entraban unas ganas incontenibles de tragar saliva y siempre se me escapaba algún ruidito inoportuno de los intestinos. El Hombre de Allá Arriba pasaba las manos por última vez por la cabeza, los brazos y las piernas y a continuación, a ras de todo el cuerpo, a pocos milímetros.

–Se te ha pasado el dolor de cabeza, ¿verdad? –le decía al final a mi padre, que por norma general se mareaba en el coche si iba de copiloto.

–Sí, me parece que ya no estoy ni averiado.

En el vocabulario rural, averiado es lo que ahora llaman una contractura, un desequilibrio que se manifiesta en la asimetría del cuerpo. Mi padre estaba averiado cada dos por tres. Para comprobarlo, se ponía de pie, pegado a la pared, ponía los brazos en cruz y después los unía, estirados, por delante del pecho. Si le faltaba o le sobraba un palmo –o unos dedos–, es decir, si los brazos no encajaban uno con otro, quería decir que estaba averiado. Un campesino mayor que venía a casa a venderle plantones le había curado alguna vez estirándole la columna con un catacrac catártico que se lo ponía todo en su sitio.

Me parece tranquilizador que se pueda dilucidar si se está averiado comprobando si los brazos encajan o no. Y que el mundo pueda dividirse entre los que están averiados y los que no, y que no haga falta complicarlo más.

Cuando terminaba de echarnos un vistazo, el Hombre de Allá Arriba solía bordar el diagnóstico con ideas que nos sorprendían. No era adivino, pero afinaba las sensaciones. Yo me preguntaba si me habría descubierto algo negro. Pero no. Solía dedicarme buenas palabras, aunque impregnadas de una contención austera.

–Esa espalda ha mejorado mucho.

O también:

–Se te ha despejado bastante la cabeza, ¿verdad?

Me recordaba que tomara el calcio y las vitaminas y yo me quedaba embobada esperando que añadiera alguna justificación, algún elemento más al que agarrarme. Supongo que eso se acentuó desde el momento en que me dijo que tenía un don.

Llevábamos ya unas cuantas visitas. Escribí mi nombre en la hoja en blanco, él se quedó muy pensativo, más que de costumbre, mientras pasaba los dedos por mi nombre y apellidos. Dejó el dedo índice un rato encima de la eme de Mila, una eme que siempre me salía exageradamente más grande que las otras letras y que se complementaba, por su trazo grueso y más atrevido, con la a del final. Como si la eme abombada y con el último palo hacia abajo, un poco al desgaire, y la alegría de la a, que subía hacia arriba, quisieran anunciar una posibilidad que nadie había considerado hasta el momento.

Cuando me puso las manos en el cuerpo también estuvo más tiempo del normal. Todavía no nos habíamos acostumbrado y no era fácil calcular la normalidad de cada movimiento, si es que se puede medir la normalidad. Todavía no sabía que la normalidad es una alucinación a la que nos agarramos, la palmera con un coco que mana sin cesar y que nos convence de que estamos a cubierto y de que el coco y la casa siempre estarán ahí. Y a veces, de tanto buscarla, la normalidad nos amodorra como el cloroformo. Y cuando la echamos de menos, porque otras veces somos nosotros los que la echamos de menos, no sabemos cómo deshacernos de esa molestia.

Cuando la mano de la frente iba bajando poco a poco hasta taparme parcialmente la visión, la retiró. El Hombre de Allá Arriba se sentó lentamente y se quedó un ratito mirándome con una sonrisa. Entrecerró más los ojos y afirmó con movimientos de cabeza, una afirmación muy suave, incluso armónica.

–Esta niña tiene un don.

Pasaron unos cuantos segundos hasta que alguien reaccionó ante ese agujero del espacio y del tiempo, el suspense, el zumbido de una mosca que no encuentra ninguna ventana abierta, el rumor de un patio interior en el que resuena una silla que se mueve, los platos que friega alguien, el cambio de canción del casete y la conversación de tres personas en la sala de espera del Hombre de Allá Arriba.

–¿Y qué es? El don, me refiero... –preguntó mi madre tímidamente.

–Ya se verá. La cuestión es que tiene un don, y se irá viendo poco a poco, con el paso del tiempo.

Era difícil romper la telaraña de silencio. No sé si se nos ocurrirían las mismas preguntas a todos. Mi madre ya había hecho la más importante y no parecía que fuera a darnos más detalles. Yo no sabía si tenía que abrir la boca. Nunca me habían dicho una cosa tan bonita. Porque... tener un don era bonito, ¿no? El Hombre de Allá Arriba debió de leerme el pensamiento, o tal vez la cara de perplejidad que se me quedó, y me tranquilizó:

–Un don es algo bueno. Hay dones de muchas clases. Lo que hay que hacer es regarlo, claro. Si no, es como si a una persona se le da bien la carpintería, pero nunca coge el cepillo.

La palabra «don» no dejaba de vibrarme en la cabeza como un gong alegre que esparcía por todas partes un montón de posibilidades, como los zarcillos de la hiedra, que no paran de crecer.

¿Tener un don sería lo contrario de llevar una cruz a cuestas? El mapa que hasta entonces estaba arrugado, casi hecho una bola, se desplegó de repente. Las tapias que rodeaban el barrio dejaron de serlo: la autopista, el cementerio y la vía del tren se convirtieron en pasos francos que querían llevarme a otra parte, a algún lugar fabuloso de ese mapa que acababa de desenrollarse en la mesa del despacho de Allá Arriba. Me imaginé un territorio nuevo, absolutamente desconocido e inexplorado. Ignoraba los atractivos y los peligros que pudiera ocultar, y también los atajos para llegar a él y si me esperaría alguien allí. Ignoraba que, por lo general, no te espera nadie en ningún sitio. Ignoraba el significado del anuncio del don, pero estaba segura de que el gong ya no dejaría de sonarme por dentro, que siempre me acompañaría. Una vibración que podía ser agradable o trémula, según el día. Vuelvo a oírla y me agarro a ella.

Aquella tarde, ante el Hombre de Allá Arriba, me quedé muda. Íntimamente agradecida por una cosa que no sabía describir, pero muda. Ahora sé que era una invitación a salir. A ir más allá de los límites. Salir o huir, pero fue la primera vez que alguien me dijo que podía moverme y desarrollarme. Que podía crecer. Que no tenía sentido quedarme quieta ni atrincherada en un trozo de tierra, como habían hecho los antepasados de mi padre. Que adiós al miedo, que ya no era el gusano de seda que tenía que hacer gimnasia para evolucionar. Que era algo más que una llorona irredenta. Todo eso me anunció el don. Me quedé muda y me acordé de la caída del muro de Berlín, que había visto en la tele unos meses antes.

Fui la primera persona de la familia que estudió en la universidad. Un poco tarde, para haber nacido a finales de los años setenta del siglo XX. Pero si el talante y la actitud de mi padre se parecían más a los de un abuelo, se entiende que el estreno en la universidad fuera tardío también. Mi madre me animaba a estudiar: «Es importante que te formes, para que el día de mañana puedas valerte por ti misma», etcétera. No recuerdo que mi padre emitiera opinión alguna al respecto.

Me tocó elegir carrera en la época en que el Hombre de Allá Arriba nos comunicó que la abuela se apagaría poco a poco. No tenía ninguna idea concreta de lo que quería estudiar. Le había dado vueltas al don que me había anunciado, pero no había sacado nada en limpio. ¿Y si el don era una gracia especial para los idiomas? ¿O para la interpretación histórica? ¿O para las ciencias exactas? ¿O quizá para alguna otra área que todavía no me había sido revelada?

–¿Y si el sábado, cuando vayamos, le preguntamos hacia dónde apunta mi don? –le dije a mi madre cuando se acercaba el día de la visita concertada con el señor Fèlix–.

Porque si lo supiera, si tuviera alguna pista, a lo mejor me ayudaba a elegir mejor, no sé.

–Mila, me parece que te obsesionas un poco. El Hombre de Allá Arriba nos dijo que el don se iría viendo poco a poco y que no te preocuparas –intentaba apaciguarme.

Yo pensaba en la posibilidad de que el don no se hubiera manifestado todavía y que me equivocara al elegir una carrera en la que no pudiera aprovechar esa virtud hipotética. El señor Fèlix había hablado del don, en singular, de uno nada más. Para mí, ese don virtual era como un objeto mutante no identificado que había avistado un submarino, y no encontraba la manera de descifrar el intríngulis. Un día me decidí a contarle al Hombre de Allá Arriba un sueño recurrente que tenía. Habría sido más fácil no andarme con rodeos y preguntarle directamente por el don con vistas a la carrera. Pero, dado que no sabía cómo hacerlo y estaba comprobado que en casa el ambiente simbólico gozaba de cierto predicamento, tiré del hilo onírico.

Soñaba con un volcán que entraba en erupción, la lava corría por los campos y por las carreteras, y desde el balcón de casa vimos, primero, el humo, y después, el río rojo y burbujeante que se iba acercando al barrio. Nos organizábamos para hacer una cadena de cubos de agua hasta donde estaba mi padre, en primera línea de defensa, remojando los campos, como si pudiera servir de algo. Y entre mi hermano y yo sacábamos cubos y más cubos y los llevábamos corriendo a los campos, mientras mi padre desplegaba una manguera larguísima ante las brasas llameantes.

De pronto el sueño se aceleraba: la lava llegaba al campo de al lado de casa, había sobrepasado la vía del tren y me obligaba a correr como alma que lleva el diablo en dirección a la autopista, hacia el pueblo. Mi padre y mi hermano ya no estaban, tampoco mi madre y mi abuela. Ni me acordé de las ovejas y las cabras ni sabía lo que les había pasado. Solo corría para que no me alcanzara la lava, que a veces se detenía en algún hoyo del huerto y yo veía perfectamente cómo engullía un erizo y daba lengüetazos. La imagen de algo que hierve. El corazón se me puso a mil por hora mientras intentaba remontar la cuesta del cementerio para ponerme a salvo. Se presentaban más obstáculos y, resollando cada vez más, me despertaba en el preciso instante en que la lava me salpicaba las zapatillas. Era como si el volcán en erupción hiciera temblar el centro del universo que eran la casa y el barrio, una seguridad al abrigo de todo.

Ahora podría añadir que en estas últimas semanas he vuelto a soñar con volcanes y lava, pero no sería más que un recurso narrativo para engañar al hambre, lo mismo que con el balido de las ovejas que me acunaba. La realidad se resiste a cumplir los cánones de la verosimilitud.

Le conté el sueño, con pelos y señales, al Hombre de Allá Arriba, confiando en que su interpretación me hiciera caer de culo, igual que sabía descifrar las cosas más mundanas que le contaba mi padre.

–Estarás pasando una temporada de inquietud, Mila. Pero eso es normal. Tómate estas vitaminas, verás como te sientan bien.

Y yo, que a lo mejor esperaba las claves freudianas del sueño o una leyenda o un cuento, o que alabara la capacidad imaginativa de mi sesera mientras duermo, tuve que conformarme con unas simples vitaminas. Con el tiempo, empecé a ver en la erupción del volcán el aviso de una resistencia a sobrepasar los límites. Como un semáforo que no tiene ganas de ponerse verde. Sí, de acuerdo, el Hombre de Allá Arriba había dicho que tenía un don y solo por el anuncio había provocado la caída del muro. Pero ¿quién decía que el gong fuera a abrir todas las puertas?

La lava podía haberse solidificado si no hubiera vencido el lío en que se convirtió el hecho de tener que elegir una carrera. Cuando le conté al Hombre de Allá Arriba que iba a estudiar Historia del Arte, aplaudió la decisión. Supongo que si le hubiera dicho que iba a hacer Criminología, Ingeniería Química o Astronáutica habría puesto la misma cara y me habría aplaudido igual.

Al final elegí Historia del Arte porque no me comprometía a nada. Me permitiría seguir picoteando aquí y allá, libar de flor en flor sin decidirme por ninguna profesión concreta y sacudirme de encima algo parecido a un complejo perpetuo: la impresión de que el mundo era una inmensidad inabarcable, de mareo, y que yo no sabía nada porque siempre había vivido debajo de una col de la Amazonia. Esta impresión existía solamente en mi mollera, pero con eso bastaba. Y esta circunstancia me creaba la necesidad de nuevas dosis de caída de muro, aunque en aquellos momentos no me daba cuenta de que las buscaba con la avidez de un náufrago. Estudié porque *buscaba,* como cuando hurgaba en la maleta de la tía soltera.

–Tienes cabeza, así que no lo dejes. No hagas como el otro, que primero empieza una carrera y se cambia todos los años porque ninguna le gusta. Y al final nada le satisface.

Creía que el primer curso en la universidad iba a gustarme mucho. Y si no, me aguantaría, porque tenía que llegar al final de esa historia. No conocía a nadie que hubiera estudiado Historia del Arte. Tampoco iba con expectativas concretas, en realidad. En casa no había ningún plan preciso para mí, al contrario que algunos compañeros, que estudiaban por complacer a sus padres, que soñaban con un futuro de éxtasis dorados para ellos. Por ejemplo, a Simó lo habían encarrilado sus padres hacia los estudios de Dirección y Administración de Empresas.

No pensé apenas en cómo me gustaría ganarme la vida, lo que desacertadamente llaman salidas profesionales, que es lo mismo que decir que, en cuanto se encuentra el hueco, hay que aspirar a ser agua estancada que no avanza y que se encuentra a gusto haciendo de sentina para los mosquitos. ¡Cuando no se ha cubierto ni el primer tercio del trayecto! Y al final, si no se es contrabandista o se tiene un máster superior en corruptelas, acaba uno ganándose la vida como puede. Pero eso no se descubre hasta que se es mayor.

En la universidad todo estaba destinado a sorprenderme. Porque todo podía sorprenderme. Porque, bien sujeta a la reata de extrañezas que acarreaba, también cargaba con una sed cuyo único objetivo parecía ser llevar la contraria a mis antepasados indómitos, inmóviles, congelados en el tiempo.

A veces creo que si hubiera estudiado Biblioteconomía o Matemáticas –las carreras más tediosas que se me ocurren ahora mismo– habría disfrutado igual, porque el ensanchamiento de las paredes y de las fronteras habría sido idéntico. Dejé atrás una escenografía cotidiana, el barrio, el polígono, la autopista, la carretera, el pueblo... Incluso la Ciudad de al Lado, de la que solo conocía las calles del centro y la del hospital. Al fin y al cabo, no era más que una maqueta provinciana de una gran ciudad.

Pero a lo mejor me he embalado un poco, porque antes del salto a la universidad iba a experimentar algunos rasguños de polígono. Los primeros rasponazos en las rodillas. La gente cree que los polígonos industriales son un cuarto trastero donde solo se entra por casualidad, de vez en cuando, lo justo para arañar una mensualidad. Y no es así. Naturalmente, algunos polígonos están en el fin del mundo, y si se va es para hacer un encargo concreto: llevar un paquete, recogerlo, entrar en la fábrica, salir, apearse del único autobús que pasa por allí, esperarlo, aparcar el coche en una carretera desierta... Pero también hay polígonos que forman parte de la trama urbana, que están más o menos integrados en un pueblo y, por lo tanto, dentro del trajín diario de sus habitantes. Estos polígonos me recuerdan al cuarto de lavar de casa, donde teníamos la lavadora, los productos de limpieza y un lavadero en el que se lavaba mi padre cuando volvía del huerto (sería una reminiscencia del uso que daban a los lavaderos en su casa cuando solo algunas tenían ducha). Yo entraba en el lavadero para dejar los pañuelos de mi abuela y mi ropa sucia cuando por fin me acostumbré a no dejarla tirada en el suelo de mi habitación. Entraba, hacía lo que tuviera que hacer y desaparecía. Pero lo que no se me borra de la memoria es el denso olor a humedad, vivificante y ofensivo al mismo tiempo, ni el zumbido de la quietud inquieta del polígono.

Había un polígono entre la última fila de casas del pueblo y el puente de la autopista, a mano derecha de la carretera, en una hondonada. Cuenta mi madre que su padre le decía que en los bosques, por la noche, pasan muchas cosas que no se ven. Yo le diré a mi hija que en los polígonos, por la noche, también ocurren hechos inusitados. Cuando lo único que se oye es el rumor de las turbinas de algunas fábricas, circulan por allí, de puntillas o como caballos sicilianos, hadas y monstruos que velan tu sueño o te lo alteran. Esto se aprende con el tiempo. Cada vez se oyen menos las turbinas de las fábricas. Las oficinas y los centros de logística han sustituido a muchas naves de producción. Incluso ha aparecido alguna pista de pádel. Y la crisis que nunca nos ha dejado ha condenado a los talleres pequeños al abandono.

En el polígono se alarga la noche: se bebe, se charla, se fuma, se folla, se pasa droga, hay peleas, se forman parejas o se separan para siempre... Creo que he hecho casi todas esas cosas, menos trapichear.

Empecé a pasar sola por el polígono en la época del instituto, para volver a casa. Quince minutos a pie hasta tocar las pilastras de la autopista. Diez si lo hacía corriendo. Me daba cosa ir por la carretera, porque el arcén era muy estrecho y los coches pasaban rozando. Tenía la sensación de que podía pararse cualquiera y raptarme. Por el contrario, el camino del polígono me resultaba más seguro. El tráfico pasaba más lejos y en general solo me encontraba con obreros. Hasta conocía ya algunas caras. Había unos cuantos que salían a la misma hora que yo. Cuando bajaba las escaleras siempre me encontraba más o menos a los mismos, que estaban comiéndose un bocadillo o fumando. Y un poco más allá, un grupo de mujeres con bata y el pelo tapado, que trabajaban en una empresa de alimentación y bromeaban a voces.

Los lunes a mediodía solía haber restos de batallas nada ignotas en la calle principal del polígono: botellas rotas, colillas, gomas arrugadas como un globo reventado, invitaciones de discoteca... y, además, los típicos objetos desparejados y rasgados que nunca se sabrá cómo llegaron allí: un calcetín, una deportiva, unas bragas, un guante, una bufanda...

Una tarde de primavera, cuando el verano ya enseñaba la patita, estaba a punto de bajar las escaleras hacia el polígono y de pronto vi a un hombre apoyado en un coche: tenía mala pinta. La camisa por fuera, enseñando el pecho, unas gafas de sol marrones, de las que filtran una mirada amarillenta y sudorosa. El individuo tenía la vista fija en la carretera. Y en mí. Me dio mala espina y preferí no bajar, sino seguir por la carretera. Me vendría bien cambiar de rutina.

Cuando pasaba por la carretera calculaba mentalmente si, en el punto en que me encontraba, me daría tiempo a llegar corriendo al puente de la autopista en caso de que un coche se parara para secuestrarme. Era como un juego tétrico que me distraía un rato. Me imaginaba las posibles vías de escape. Desviarme hacia abajo, hacia el polígono, y llegar a la primera empresa que quisiera abrirme la puerta. Cruzar la carretera arriesgándome a que me atropellaran... Supongo que pensaba estas cosas porque nadie hacía ese recorrido a pie y nadie habría podido socorrerme.

Cuando mi abuela iba de compras al pueblo los sábados, la carretera todavía no tenía el arcén estrecho. Ni había farolas. Ni existía el polígono. Entre la oscuridad total y el rumor de los cañaverales, iba la mujer con el corazón en un puño, temiendo que le saliera alguien al paso y le diera «un susto». El miedo es una telaraña muy antigua que han tejido otros para nosotros desde hace mucho tiempo.

Algo chirriaba en aquel hombre de barriga prominente; quién sabe a qué esperaba fuera del coche, fumando un cigarrillo con fruición. Tenía una pinta asquerosa. Y el coche también, tan desvencijado y manchado de barro. Después de las cinco de la tarde, que era la hora que era, se había esfumado del polígono el ambiente más doméstico del mediodía, cuando parecía que todo el mundo estaba deseando volver a casa enseguida.

Inicié el camino procurando quitarme esa intuición angustiosa de encima, entretenerme dando patadas a una lata de Coca-Cola vacía que había en el arcén. Me concentré en chutar bien recto para que la lata no se me escapara, y así volaron unos cinco minutos. Cuando levanté la vista todavía me faltaban otros diez para llegar al puente de la autopista. Tocar las pilastras equivalía a decir: «¡Salvada!», como en el juego del escondite, porque significaba que ya estaba muy cerca de la primera casa del barrio. Pero aquella tarde, cuando levanté la mirada, se me olvidaron inmediatamente la lata y todos los juegos. A una distancia menor que los cinco minutos de antes vi de nuevo al tío seboso. Llegaba un punto en que la carretera de arriba y la del polígono se encontraban. Estaba más cerca. A unos metros de mí, en el terraplén de abajo.

Vi que hacía un gesto con la mano derecha, como moviendo los pantalones, como si buscara monedas en el fondo del bolsillo. Estaba más rojo que un tomate y tenía cuatro pelos pegados a la calva. Al darme cuenta de que el movimiento de la mano se intensificaba, me puse a mirar hacia delante. Todavía me faltaba un trecho, demasiado largo para poder cruzar el puente de la autopista. No quise volverme a mirarlo, como rechazando la evidencia. Quería simular una tranquilidad imposible, pero apreté el paso. No había nadie más en los alrededores. Y tampoco mucho tráfico.

¿Qué narices hacía ese tío allí? Sabía de sobra lo que hacía, y todavía me inquietaba más pensar que estuviera siguiéndome: con el coche, podía alcanzarme donde quisiera. No me salvaría aunque pasara corriendo por debajo del puente, porque podría estar esperándome al otro lado. «No lo mires y sobre todo no te pares. Si la cosa se pone peor puedes montar un escándalo en medio de la carretera, parar a un coche. Aunque tampoco hace falta que te atropellen por librarte de un depravado. Con una atropellada en la familia ya tenemos bastante.»

Iba andando recto, más tiesa que un palo, no me notaba las piernas, solo la ingravidez fría de cuando estás muerta de miedo –«El miedo es una cosa que se la inventa cada uno», decía el Hombre de Allá Arriba–, una ingravidez que tanto puede terminar en desmayo como en una carrera. Volví a mirar cuando faltaban unos diez metros para llegar al punto en que la carretera de arriba se unía a la calle del polígono. Tenía que saber de cuánto margen disponía... Y, como si fuera un fantasma que se teletransporta a donde quiere, me lo encontré allí plantado, fuera del coche, haciéndose una paja a toda pastilla, con el miembro exageradamente hinchado y la mano que no paraba, como si inflara la rueda de una bicicleta y le fuera la vida en seguir dándole a la bomba. Y aquella cara sebosa y los cristales marrones de las gafas, que dejaban a la vista una expresión de beodo, de beodo total... Daban ganas de vomitar.

Aceleré con el corazón desbocado y, en el momento de

cruzar la carretera para acercarme al puente, eché a correr. Ya no podía más. Pasé por debajo del puente a la carrera y subí la cuesta del cementerio hasta la primera casa. Corría y me pisaba los talones una jauría de zombis harapientos que me ladraban y bailaban una danza macabra, todos con la misma cara repugnante que el tío aquel, con las gafas de sol llenas de barro y el miembro tumefacto. Corre, corre y no vuelvas a mirar atrás.

En la cuesta del cementerio, antes de torcer a la derecha en dirección al barrio, jadeaba una barbaridad. Y al entrar en la curva me asusté otra vez, por si me lo encontraba esperándome al otro lado. Y la imagen de la mano que no paraba de hinchar la rueda, y el salchichón andrajoso.

Al otro lado de la curva no había nadie y creí que estaba fuera de peligro, aunque parecía que se me iba a salir el corazón por la boca. Tuve que frenar para recuperar el aliento. Descansé un momento apoyando las manos en las rodillas cuando una voz de hombre dijo: «Hola, chica, ¿estás bien?» Levanté la cabeza de golpe. Era el vecino de la última casa del barrio, un hombre al que todos llamaban Fidel Castro, por la larga barba que lo asemejaba al dictador cubano. Este Fidel del barrio era un buen hombre. Me incorporé, le dije que sí con un movimiento de cabeza, tragando saliva, le devolví el saludo y reanudé la marcha. Me temblaban las piernas.

Al llegar a casa, saludé con un hola desmayado a mi madre, que estaba en la cocina, y a mi abuela, que estaba en el comedor. Intercambiamos cuatro palabras de las que no dicen nada. Debía de estar blanca. Me desplomé en el sofá. Volví a la cocina como un androide e intenté contarle a mi madre lo que me había pasado. Se lo conté en voz baja para que mi abuela no se enterara. Me encontraba baldada y pegajosa.

–El hombre ese se estaba tocando... Mirándome a mí, hostia; me asusté, ¡creí que iba a hacerme algo! Y el muy hijo de puta me siguió, y cuando ya casi había llegado al puente, eché a correr.

Y empecé a sollozar. Mi madre dijo que me iba a preparar una manzanilla. No me apetecía ni pizca. Nunca me ha gustado la manzanilla, y menos con el calor que hacía a las puertas del verano. Pero la gente tiene la manía de que todo se arregla con algo caliente, y mi madre recetaba manzanilla y tomillo a diestro y siniestro.

–A lo mejor tendría que poner una denuncia, ¿no? Porque, claro..., ¿y si me lo vuelvo a encontrar mañana?

A mi madre le pareció bien, pero como mi abuela no había estado nada católica en toda la tarde, tuve que esperar a que llegara mi padre de comprar plantones de lechuga para que me acompañara a la policía.

Me pareció que el policía que rellenó mecánicamente el papeleo de rigor no le daba mucha importancia. Mi padre no abrió la boca en todo el rato. Resoplaba de vez en cuando, como sorprendido. Me asaltaba la idea de que el seboso ese empezara a perseguirme cada día por todo el pueblo. Me asaltaba el desasosiego de la persecución, de por qué tenía que pasarme eso precisamente a mí. Y la vergüenza de haberme encontrado en semejante situación y de tener que explicarlo todo poniéndome más roja que un tomate. Hasta un tiempo después no me enteré de que era él el que tenía que avergonzarse, pero en ese momento no te lo dice nadie y el incidente pasa a engrosar la montaña de papeleo adiposo. Y no se lo cuentas a nadie más que al agente maquinal. No se lo he contado ni a Simó, y menos aún a ninguno de mis novios anteriores.

Tuve que describirle al policía todos los detalles y los gestos que había visto, del primero al último. Se empeñó en determinar la marca del coche y la edad del hombre, como si a una adolescente que cree que un zumbado está a punto de violarla se le pudiera ocurrir fijarse en la forma de un coche o en las arrugas del perseguidor. Nos despachó con unas palabras reparadoras: pasaremos más a menudo por el polígono a las horas de entrada y salida del instituto... También me recomendó que me acompañaran unos días, aunque solo fuera por quitarme la angustia de encima, y que si volvía a verlo los avisara enseguida. Un consejo muy práctico en una época en que para llamar por teléfono había que ir a una cabina y la más cercana estaba a un cuarto de hora de donde me había encontrado a ese tipo.

Salí de la comisaría más angustiada que antes y un tanto decepcionada por la falta de respuesta, de una acogida que al menos me tranquilizara un poco los nervios. Seguí dándole vueltas en casa y a insistir en algunos detalles sobre el canalla seboso para obligar a mi padre a que dijera algo. Habría bastado con una palabra salvadora que me amparase. Pero esa palabra no llegaría, como tantas otras veces. No es que lo acuse de nada. Quizá esos silencios me han obligado a encontrar las palabras por mi cuenta. Y, naturalmente, de rebote han venido las preguntas: ¿mi hija también tendrá que pasar miedo porque la persiga un hombre? Las pesadillas de la lava se repitieron durante bastante tiempo.

El miedo, al menos el miedo consciente a ir por el polígono y encontrarme chiflados, acabó por desaparecer. Me acostumbré a tolerarlo. El Esquilador cerraba la puerta de su casa silenciosamente y salía de puntillas para que los quebraderos de cabeza se quedaran dentro. Yo tragaba saliva sin hacer ruido, sin contárselo a nadie. Nadie dijo que traspasar los límites iba a ser fácil.

Cuando ya era un poco mayor empecé a pasar por el polígono de noche para volver a casa. La amiga que me acompañaba hasta las primeras naves me despedía maternalmente:

–Ten cuidado –me decía, más asustada que yo.

Comprendí que ese trayecto solitario daba un pavor indescriptible a cualquier chica de mi edad, y me hacía cierta gracia.

Cuando hay que pasar por un sitio a la fuerza, porque ese sitio está incrustado en tu paisaje y no hay alternativa, lo normal es que el movimiento diario acabe erosionando. El miedo se erosiona, cambia de piel, vas cumpliendo años y de todo ello queda una alerta protectora, un sexto sentido que te aguza la vista y el oído vayas por donde vayas. De la piel muerta, que se va desprendiendo poco a poco, te dices que ya te ocuparás mañana. Y mañana es una noche en la que, siendo adulta, vas andando sola por las calles de Sant Andreu por la sencilla razón de que te relaja.

«Yo no podría, sola...», me había dicho mi amiga, con una cara de horror, o casi, que me recordaba a la de algunos compañeros del colegio cuando les decía que vivía cerca de un cementerio. Otros soltaban algún comentario burlón sobre mis vecinos. Yo reaccionaba reflejándome en ellos: o presumía de valiente o me reía de su miedo. Y lo más gracioso es que ni era tan valiente ni me daba tanta risa.

Alguna vez, al volver del colegio, me quejaba a mi madre de lo mucho que les sorprendía a mis compañeros que viviera cerca de un cementerio, y ella me contestaba:

–Pues diles que son los mejores vecinos.

Y si me oía la abuela, no podía contenerse y metía baza con una referencia histórica.

–Masses, el que hacía de enterrador, iba siempre con el cayado...

A mí me parecía que hablaba de un recuerdo de ultratumba, lejano, que era imposible que la parte de barrio a la que se remontaba encajara con la mía. Pero encajaban, como alinear los brazos para verificar la avería.

–Al principio, cuando llegué aquí de nuera, hace ya muchos años, me daba un miedo el cementerio... Y un día el abuelo Masses lo señaló con el cayado y me dijo: «De aquí a allá, no tengas miedo de nada; de lo que no te puedes fiar es de aquí al pueblo.»

Y así, a base de sentencias salomónicas, el miedo se hacía picadillo poco a poco. Ahora me parece que, en realidad, lo sustituían otras coartadas o desconfianzas –«de lo que no te puedes fiar es de aquí al pueblo...»–, pero ya las escrutaríamos al día siguiente, como la piel muerta. La telaraña, la del miedo también, perdura por naturaleza.

–El abuelo Masses hace años que está criando malvas, pobrecillo...

El polígono parece desprotegido a primera vista, demasiado expuesto. Pero después de pasar por allí muchas veces se intuyen los escondrijos incluso en el solar salpicado de hierbajos. Aunque lo fácil sea apropiarse de elementos repintados de bucolismo, no hay ley que prohíba encontrar un rincón acogedor en los oasis de fealdad funcional que son los polígonos.

No me saqué el carnet de conducir hasta el último año de carrera y tampoco tuve moto nunca, así que volver a casa a pie por la noche era una cosa natural para mí. En esos trayectos surgían rincones recoletos: el espacio que quedaba entre un camión y un coche, el interior de un coche con cristales ahumados, las escaleras que iban de la carretera al polígono... En alguna ocasión pasé rozando un coche sin luces y lleno de niebla baja por dentro. Poco a poco y progresivamente aparecerían «las primeras veces que».

Fumé el primer cigarrillo un sábado a mediodía. Me había enfadado con la familia por una chorrada mayúscula y cogí la bicicleta empeñada en hacer una bien gorda. La forma en que uno se fuma el primer cigarrillo tiene tanto sentido que da vergüenza contarlo. Enfurruñada, cogí unas monedas sin pensarlo... o, mejor dicho, haciendo como que no lo pensaba ni me invadía la menor sombra de duda, que es como se suelen interpretar y representar estos papelones. Me puse a pedalear con todo el ímpetu del mundo, aguijoneada por un impulso de semivenganza. Un «os vais a enterar» de voluntad catártica. A los adolescentes no les hace falta ni una cerilla para encenderse por cualquier cosa y que todo adquiera un tono de auténtico rito.

Hice el trayecto en bici hasta el final del pueblo con la intención de buscar un bar cutre en el que nadie me conociera. En casa me decían que no fuera en bici por la carretera, que pasaban muchos coches y que iban a mucha velocidad. Evidentemente, fui por la carretera, no por el polígono industrial. Como estaba tan rabiosa, de vez en cuando me levantaba del sillín y me obligaba a dar unas pedaladas para impulsarme, todas seguidas, enloquecidas, hasta que me dolían las rodillas y tenía que volver a sentarme.

Al final del pueblo hay una trama bastante continua de pisos viejos, sencillos, destartalados; un olor a sofrito sale de las escaleras e incrusta un dedo de grasa en las fachadas de baldosa. Se ve lo que comen y qué canal de la tele han puesto los del primero por la ventana enrejada del comedor, que queda a la altura de la calle.

Elegí el bar que me pareció más cochambroso, con la clientela más vieja de señores barrigudos, el Miguelón. En aquella época tenía un toldo de rayas gruesas verdes y blancas, salpicadas de tipismo, y nada más entrar me recibió una vaharada rancia de café con unas gotitas de licor, palillos y sobres de azúcar en el suelo; tenían la tele a todo volumen y la barra con roña de meses... Y yo, fingiendo aplomo y seguridad, como si no me impresionaran el tufo ni la garrulería que emanaban la tele y algunos residentes del bar; y digo «residentes» porque se lo habían ganado: realmente algunos pasaban allí media vida.

Empecé las maniobras enseguida (todavía no había que pedir que te encendieran la máquina expendedora): meto las monedas cada vez con más prisa y vacilando, a ver si tengo suficientes. Cuando me parece que ya está repaso las marcas. Me desborda la cantidad de posibilidades. ¿Cuál elijo? Sé que no puedo entretenerme mucho porque, si no, se notará a la legua que no tengo edad para comprar tabaco. Los nombres me parecen de ciencia ficción. En casa no fuma nadie. Cuando revolvía en los cajones de mi padre, a veces aparecía un puro picado, regalo de una boda. Y los caliqueños que fumaba el bisabuelo, el ilustre personaje huraño enemigo de la electricidad, habían desaparecido hacía mucho.

Winston, Chesterfield, Nobel, Fortuna, L&M, Lucky Strike... Las marcas bailan magnéticamente delante de mí. Todas me parecen de película del Salvaje Oeste, como si una calada de uno de esos cigarrillos pudiera transportarme a un escenario de cowboys y chicas que esperan la diligencia que nunca llega... Noto en la nuca el aliento de alguien que resopla porque no acabo de decidirme. Voy a lo seguro, que para mí es, no sé por qué, elegir entre Marlboro o Camel. Eran marcas famosas que habían patrocinado coches de Fórmula 1.

¿Marlboro o Camel? El paquete rojo de Marlboro es un poco más elegante, incluso de gente bien, pero el Camel pega mejor con los paisajes polvorientos del western y me resulta más simpático. Aunque, claro, parece que el Marlboro es más famoso... Mila, es el primer cigarro que vas a fumar, estaría bien acertar. Acierta una vez, al menos. Vale, Camel, y no le des más vueltas. Aprieto el botón. Mierda, no he echado bastantes monedas. El hombre que está detrás resopla otra vez, ahora como un hipopótamo que necesita oxígeno, y chasca el palillo que lleva en la boca. Me hurgo los bolsillos. No encuentro más monedas. ¡Tengo que cambiar un billete! Pánico y sudor. Aprieto el botón de devolución de monedas. Pura calderilla. El hombre se impacienta más. Recojo las monedas como puedo. Se me cae un duro al suelo –todavía había duros, qué vieja soy–; además de sudar me pongo colorada y le pido al dueño que me cambie el billete. Cuando creo que me va a pegar la gran bronca, me devuelve el cambio con desgana, ni me mira. Recupero un poco la calma.

El hombre mayor –no ha parado de hacer ruiditos con

el palillo orquesta, como un perro que se mea en una esquina para que se sepa que existe– recoge su paquete de tabaco. Fortuna. Tengo un momento de duda. A lo mejor los entendidos fuman Fortuna. Pero enseguida descarto la idea al comprobar que tira el palillo al suelo y me llega un tufo rancio que me devuelve al primer objetivo: Camel. Y vuelta a empezar con las monedas.

Procuro maniobrar con rapidez para dejar de hacer el panoli. Al introducir la última moneda me acuerdo de que tengo que tomar otra decisión trascendental inminentemente: ¿compro un mechero o pido fuego? Si pido fuego a estos hombres me expongo a comentarios o bromitas innecesarias. Si compro el mechero me arriesgo a que el camarero no me perdone la vida como la primera vez. Y no hay que olvidar que será la primera vez que encienda un cigarrillo. ¿Y si me da tos? ¿Y si no chupo bien y se me apaga y tengo que volver a pedir fuego? Abro el paquete con muchos nervios y me pongo colorada otra vez, y de repente me dirijo con determinación fingida al tabernáculo del camarero:

–Un mechero, por favor.

En plena conversación sobre el gobierno y diciendo «son una pandilla de chorizos, a esos los pondría yo a trabajar en la obra y verían lo que es bueno», me da un mechero y espera que se lo pague sin decirme cuánto es. Luego se da cuenta de que todavía estoy ahí y me dice el precio como si se lo inventara, y yo, más colorada que treinta segundos antes, pago y me voy. Lo guardo todo en la mochila que he cogido como si fuera de excursión. Recojo la bicicleta y andamos juntas un rato sin ir a ningún sitio concreto.

Al final de la calle hay una placita con bancos a propósito para que los jóvenes aposenten el culo en el respaldo y los pies en el asiento y lo dejen todo perdido de pipas, de colillas o de chicles. Precisamente por eso concluyo que a lo mejor me encuentro con otros fumadores inauditos o especímenes similares y que es mejor elegir un sitio menos concurrido. Monto en la bici, convencida de que voy a encontrar ese sitio en un rincón aparentemente invisible de mi polígono. Los sábados no pasa ni dios por allí.

De mayor pensaré lo revelador que es que me fumara el primer cigarrillo de mi vida entre dos camiones, sola, en una calle secundaria del polígono. En aquel momento no veía ni rastro de cosa ridícula o patética, aunque el rastro estaba ahí. Pero, al final, la vida debe de consistir en quemar etapas saltando vallas de ridículo y de patetismo para después saltar otras nuevas más ridículas y patéticas, ¿no?

Casi me quemo al encender el mechero. Hacía un día húmedo y me alivié el dolor aplastando el dedo contra el morro de uno de los camiones. Di las primeras caladas sin tragarme el humo, por si me mareaba o me ahogaba. Después me animé. Comprobar si podía echar el humo como los mayores era como un juego. Lo hice de distintas formas y con distintas densidades, hasta que empecé a notar un mareo de lo más parecido a cuando inspiraba hondo y con solemnidad en la consulta del Hombre de Allá Arriba. Me senté. Más caladas. Un mareo un poco más fuerte. Miraba a los lados por si venía alguien. A pesar de las miradas furtivas, que son la mejor forma de llamar la atención, el trozo de acera con parches era un desierto.

Cuando terminé el primer cigarrillo –dudo que lo apurase– me quedé satisfecha: misión cumplida, y también al comprobar que no había para tanto. Y como ese no haber para tanto iba ganando terreno y la sed es de quien nunca se sacia, encendí otro, que me costó más fumarme. Lo tiré al suelo al llegar a la mitad, lo pisé con orgullo y cumplí el automatismo de meterme un chicle en la boca para disfrazar el aliento. Después di unas vueltas en bici por el polígono, como si quisiera airear y escenificar el triunfo. La certeza de ser yo la única que sabía lo que acababa de hacer también formaba parte del triunfo. En medio de un vial solitario, esta forma de batir el miedo cobró resonancias épicas, igual que la flamante entrada del verano. Y aventar así la supuesta certeza de la victoria, cuando todavía la abrazas con el convencimiento de que es posible, que sirve de algo o que te protege de algo peor, era como un entrenamiento para transitar por caminos menos agradables.

Unos meses después, una tarde de febrero, al volver a casa, experimenté otra clase de certeza, la primera certeza de la muerte. Oí un cuchicheo en el movimiento de los pocos arbustos desaliñados que había entre el polígono y la carretera. Era muy raro. Hacía unas semanas que mi abuela no estaba nada fina y aquella tarde el viento agitaba los arbustos sin virulencia, de una forma que propagaba más quietud que nerviosismo, más reposo que drama. Fue solo una sensación. Tal como había pronosticado el Hombre de Allá Arriba, las complicaciones respiratorias de la abuela se habían agravado y empezaba a fallarle el corazón. Hacía ya unos días que no se levantaba de la cama y solo podía tomar líquidos, y con dificultad.

–No sé lo que durará, pero se ve que le ha llegado la hora –me decía mi madre cuando le preguntaba por el desenlace.

Moriría en casa, eso estaba claro, como tenía que ser en las casas de antes.

Era un viento que no parecía que agitara las cosas, sino que las pusiera en su sitio, y me indicó que cuando llegara a casa me dirían que mi abuela había muerto. ¿Por qué pensé eso? No lo sé. ¿Por qué estableció mi magín esta asociación libre entre el viento y la muerte como si fuera una verdad científica? Tampoco tengo la menor idea. Pero estaba segura de que ese frío acogedor del final del invierno quería mandarme un mensaje.

Tengo un claro recuerdo de intentar acordarme, de pequeña, muy empeñada, de dónde estaba yo antes de estar en esa casa, de dónde era en realidad. Y cuando intentaba recordarlo tenía unas visiones desdobladas, como si el comedor se deshiciera en dos planos y no encontrara la forma de enfocar nada. Quizá los hindúes sabrían decirme algo al respecto. Con este embarazo aparentemente tan normal pero tan incierto es como si estuviera haciendo equilibrio entre las visiones desdobladas y la nitidez de aquel final del invierno. Debe de ser posible encontrar amarre entre unas y otra. Todas las noticias que últimamente veo con desgana, por pasar el rato, indican que las paredes maestras del mundo se han convertido en cascotes; las certezas no volverán. Y seguro que lo más conveniente es aprender a convivir con los cascotes. Quizá sea esta la cuerda. Llevo unos meses ejercitándome en esto, más por un miedo desatado que por evidencias concretas. Ahora que lo pienso, así es como quieren que estemos: con el miedo por delante de toda evidencia.

Por efecto de la sugestión con el Hombre de Allá Arriba o por la proximidad del cementerio, estuve muchos años creyendo firmemente que las ánimas de los muertos rondaban por allí, entre nosotros, y venían al barrio a vernos, que nos miraban y estaban muy cerca, aunque no las viéramos. No hacía ningún esfuerzo por creerlo, era más bien una certeza tan clara como la de aquella tarde de febrero, cuando el viento me apagó el cigarrillo un par de veces. Lo tiré sin terminarlo. Era martes. Escondí el tabaco entre unos hierbajos que había debajo del puente de la autopista. Cuando subí las escaleras y salió mi madre a recibirme ya sabía lo que me iba a decir.

La ciudad se me reveló cuando llegué a la universidad. Me proporcionó un ensanchamiento del mundo que fue mucho más importante que todas las asignaturas o el título académico que vendría después. Aunque parezca una exageración, porque vivía a solo media hora de Barcelona, no lo es. La distancia física no es directamente proporcional a la distancia de imaginarios y contextos. En el barrio de mi infancia no éramos ni dos docenas de vecinos. Yo venía de un rincón que la gente del pueblo consideraba remoto y oscuro. Y de una familia efectivamente anclada en el pasado. Tal vez por todos estos motivos me embargaron al mismo tiempo una capacidad mayúscula de sorpresa, una curiosidad que quería zampárselo todo –como si me hubieran negado el pan muchos años–, una ingenuidad a merced del viento, un no saber abstraerme de esta condición de haber visto el mundo por un agujero...

No conozco a nadie que se acuerde de cómo se familiarizó con el uso del cuchillo y el tenedor (en casa nos apañábamos con el tenedor y el pan), ni de la primera gamba que peló ni de las veces que se equivocó de línea de metro o de dirección (¿a la izquierda o la derecha?) en el Ensanche. Yo sí. Ni a nadie que se acuerde de la tensa espera social para saber si te habías vestido como correspondía, si habías cogido la copa adecuada y si habías cumplido todas las lindezas de fachada al pie de la letra, sin desentonar. No solo recuerdo todas esas cosas –y el alivio al comprobar que controlaba esos códigos baratos, resultantes del mimetismo–, sino también el sentimiento adverso, la náusea que me provocaba tanta tontería para quedar bien, tener que ajustarme a un guión previsto y previsible. Pasé mucho tiempo, demasiado, repasando obsesivamente los detalles que marcan el compás de lo que dicen que hay que hacer –tic tac, tic tac–, de lo que se espera de ti –tic tac, tic tac–, que a menudo se correspondía con lo que menos me apetecía.

Lo mejor de la universidad lo viví fuera de las aulas. Aunque el campus estaba entonces en la avenida Diagonal, solo hacía falta coger el metro –y sobrellevar con paciencia la ristra de paradas de la línea verde– para dar el salto con la pandilla de clase al edificio histórico de la universidad –so primigenio pretexto de una asignatura optativa– y al centro de la ciudad. Uno de nuestros deportes predilectos era apearnos en Drassanes o en Liceu y perdernos por el Raval o el Gótico; digo deporte, pero para mí, lo más sucinto sería llamarlo inercia. Una indolencia adolescente que, aunque fuera de imitación, me permitía arrastrar los pies de un lado a otro. Y arrastrar los pies vuelve a ser la expresión justa: en aquella época yo era como un fantasma desorientado que todo lo cubría con un velo de desgana, de separación de la realidad, una armadura precaria para que la realidad no me pinchara demasiado. Antes de lanzarme a vivir de verdad, tenía que hacer todo un montaje para poder explicarme lo que sucediera. Si no, la cosa no funcionaba. O, si funcionaba, era porque había inventado alguna maniobra de distracción para dejar al otro con un palmo de narices. Después de unos cuantos años de aquel montaje cubierto de plásticos, como la pierna ortopédica del abuelo, he tenido que rehacerlo para construir explicaciones verosímiles sobre el hipotético color de la piel de esa criatura y otras eventualidades, ahora que he decidido que lo mejor es no hacer nada, convertirme en estatua, como cuando éramos pequeños. Y evocar recuerdos, como hacen los viejos, para expulsar el peso del paso del tiempo o la incomodidad de un presente achacoso.

Cuando salía con los de la universidad, siempre había alguien que conocía un bar que estaba bien o que le habían dicho que estaba bien, y lo anunciaba como si hubiera descubierto la sopa de ajo y el revuelto de setas a la vez. Pero para mí, el efecto de hallazgo era real y profundo. Vergonzosamente persistente. Yo iba a tientas por las calles, con una desorientación y un dejarme llevar que me duró años. Menos mal que después de zigzaguear por el Gótico todos tenían que coger el metro o los ferrocarriles de la plaza de Catalunya y estaba salvada para hacer el camino de regreso.

Iba a tientas y mis amigas eran mis perros lazarillo. Esta función se la repartían concretamente tres. Dos vivían en barrios situados por encima de la Diagonal, con padres de profesiones liberales. Una era hija de una dentista y un empresario; la otra, de una maestra y un arquitecto. Segunda residencia en la Cerdanya y el Berguedà. La tercera era un cabo suelto que se nos perdió enseguida: hija de unos padres que habían compartido kibutzs en Israel, se fue a estudiar Antropología y, después, a conocer mundo trabajando con oenegés y proyectos varios. Las tres podían haber ido a una universidad que no fuera pública, pero sus familias respectivas tenían una vena de orgullo progresista –o un cliché– y querían que sus hijas conocieran otra realidad y se espabilaran. También mediaba una militancia de la defensa del servicio público, como si su actitud pudiera salvar una universidad que ya entonces estaba desgarrada y torpedeada por todas partes. ¿Habría también algo de culpa clasista?

Todo esto me lo pregunto ahora, cuando hace años que terminé la carrera y he pasado tiempo suficiente trabajando en el sector de los libros de texto, tiempo suficiente para que hayan dejado de impresionarme las máscaras. Las máscaras y el mercado han caído. También el ámbito del libro de texto sufre ahora convulsiones al ritmo de los altibajos de la economía. En aquel momento ni sospechaba la incertidumbre que vendría después. A saber con qué panorama se encontrará Bruna. Es evidente que con un mundo mejor no.

Estudié antes de la Gran Crisis y de todas las réplicas del terremoto que han agrandado la brecha sin que nadie haya movido un dedo. La historia no es exacta, pero hay un rumor que siempre vuelve.

Imité a mis amigas de la universidad todo lo que pude. Tampoco eran tantas cosas. Las dos de la segunda residencia eran más guapas que yo o, al menos, así lo creía en aquel momento. Y la tercera, inabarcable, por lo que tenía de verso libre. Mi manera de ser no era la idónea para rescatarme de esta abstracción en mí misma.

La época en que se supone que vas por la vida con total despreocupación, yo parecía más bien un robot alucinado. Si el último grito era ir a L'Ovella Negra a beber grandes cantidades de cerveza, a L'Ovella Negra iba yo. Si el grito siguiente apuntaba hacia conciertos de música mestiza en la rambla del Raval, con el volumen a toda castaña y un olorcillo sostenido de rastrojos quemados, allí iba yo. Si la noche terminaba en el Almirall inventando filosofadas de andar por casa entre mesas pringosas y griterío general, pues adelante, al Almirall. Si lo más de lo más era ir a ver películas en versión original a los cines Verdi y disimular que me dormía con un documental de Varda o un rollo de Kiarostami, al Verdi de cabeza. Era como ir dándose cocotazos en un bosque encantado en el que te hechiza cualquier aparición, aunque no sepas descifrarla, aunque no tengas la menor idea de las credenciales del buen falso cosmopolita. A veces no sé si se me alargó la adolescencia más de la cuenta o lo contrario, si todo eso no eran más que pruebas para ganar puntos y pasar enseguida a otra pantalla del videojuego. Pero la impresión de ridículo es fuerte. ¿Algún día, al mirar atrás, deja uno de verse ridículo?

En todo ese tiempo nunca conté nada del Hombre de Allá Arriba a mis tres amigas. Ni de mi don. Antes de terminar la universidad empezamos a alargar más el tiempo entre visita y visita a Berga. La salud del señor Fèlix se debilitaba y nos dimos cuenta de que en algunos momentos chocheaba.

En las noches del Almirall soltamos las mayores tribulaciones gallináceas, como sopranos de pecho cargado que necesitan vaciar toda la energía que llevan dentro. La cosa se reducía a triturar esa energía haciendo como que habías dicho vaya usted a saber qué. Y, total, lo único que hacías era largar una sandez con ínfulas. Esto sucedía de vez en cuando, porque otras noches se fragmentaban al irrumpir algún tío de otra facultad y activarse de pronto las maniobras de flirteo, y con la discreción propia de unas maniobras militares. Una de mis amigas era enamoradiza por naturaleza y tenía una debilidad sin paliativos por todos los filósofos o proyectos de. Le parecía que encarnaban el súmmum de una forma de vida que trascendía lo establecido, que rechazaba el academicismo, que profundizaba de verdad en nuevos sistemas sociales que rompían esquemas... En fin, otra forma de majadería.

«Eso es lo que tendría que haber estudiado yo, Filosofía; cuando termine el primer ciclo de Historia del Arte, me cambio», etcétera. Mi amiga lo decía a menudo como si anunciara grandes decisiones sin vuelta de hoja. Yo no tenía un canon claro de fábrica –y menos aún el del progre de libro–, así que no transitaba por esos vericuetos. También era enamoradiza, pero en otra versión. Habría podido enamorarme de una salamandra de cuatro cabezas solo porque me soplara un poco al oído, cosa que a veces había ocurrido. Porque mi avidez alcanzaba también la idea de otras clases de hombres, no como mi padre, sino más bien como el Esquilador o el Hombre de Allá Arriba. Fíjate qué fácil. Era yo un *sí pero no* andante. Todavía me ruborizo como una idiota cuando lo pienso. Así iba yo, a ver si sonaba la flauta por casualidad.

La otra amiga de buena familia era más seductora, a pesar de la pátina de ingenuidad en la que envolvía sus movimientos. Dominaba una coquetería fulminante por la que, al pedir un café, el camarero la miraba solo a ella y tú tenías que conformarte con el agua de Vichy que te traía aunque no la hubieras pedido. A esta otra amiga le gustaban las historias intrincadas, abismales. Y se moría por contarlas en algún momento de la noche, cuando el implicado –o la implicada– estaba en la barra o se había retirado. Y la tercera, la verso libre, era también en esta parcela un espectáculo de apariciones y desapariciones inexplicables pero fenomenales: nunca se sabía por dónde saldría ni con quién.

Los papeles se repartían más o menos así, y yo me entretenía bastante contemplando ese circo de fierecillas que bailaban despreocupadamente, ellas sí, en las noches sin fin. Porque, en el fondo, era como una función que se representaba ante mí, yo solo tenía que husmear por aquí o por allí y quedarme contemplando la escena. O a veces hacer de confidente. Ya fuera por la extrañeza que llevo pegada como una sombra, como una gemela, o por la piel muerta que mediaba entre la realidad y yo, me movía con un claro síndrome del espectador: contemplando las cosas como si no estuviera presente, como si todavía me dedicara a contar coches en la autopista esperando a que se detuviera Ari Vatanen.

Hubo un tiempo en el que la amiga que defendía a capa y espada estudiar Filosofía y enrollarse con futuros filósofos –a veces se desviaba hacia los sociólogos– quiso estudiar periodismo. Todas las conversaciones giraron alrededor de ese tema una temporada y activaron mi mimetismo. Pero no tardé mucho en deshacerme de esa idea (me ayudó la amiga verso libre). Sobre todo porque me molestaba la manía tan típica de los periodistas de fingir mucha seguridad en sí mismos, de demostrar de qué pie calzan a todas horas aunque nadie les pregunte por ninguna medida personal. Llegué a la conclusión de que en realidad eran menos curiosos de lo que se podía esperar y dejé de darle vueltas.

Fue una ocurrencia muy graciosa lo que nos unió fraternalmente a mi amiga la de los kibutzs y a mí, y durante una temporada la consideré mi gemela de la Amazonia (o la hermana que no había tenido). En una ocasión, les conté a las tres la historia de mi bisabuelo, que se opuso a la corriente eléctrica hasta que se murió, y entonces ella nos contó otra en la misma línea de resistencia. ¡La genealogía de los anclados en el pasado existe! Un bisabuelo de la de los kibutzs –el que sería el gemelo de mi bisabuelo– que vivía en un pueblecito de los Pirineos había prohibido la entrada de la radio en su casa. ¿El motivo? En su casa nadie hablaba sin su permiso.

Me costó un esfuerzo sobrenatural sacudirme de encima la tendencia espectadora. Ahora parece una ironía. A veces lo hacía con una brusquedad difícil de desentrañar, al estilo secular de un caballo que arranca y de un burro que se para. Esta aspereza de potro que se remueve inquieto, que no sabe lo que tiene que hacer, aseguraba fácilmente un final inesperado. Y yo podía terminar algunas noches de invierno con un tío que tenía todos los atributos de un zoquete, aunque se creyera dueño del cerebro más privilegiado de su generación. Por mimetismo social, por rellenar, por hacer lo que toca –porque, si no, qué vas a hacer, alma de cántaro–, fomenté unos cuantos líos que no tenían ningún sentido. Lo que pasa es que a mí me parecía todo igual. Las tardes callejeando por el Gótico y el Borne, Santa María del Mar o la iglesia del Pi, cena en un griego o en un libanés, las copas en L'Ascensor o en el Pipa Club, los tíos de Historia o los de Antropología, que, en conjunto, desde luego, parecían más pintorescos y más seductoramente reservados y comprometidos que algunos mediocres diletantes de Historia del Arte.

Me acuerdo de L'Ascensor porque nunca conseguí ir allí por mi cuenta. No por exceso de alcohol, sino porque me perdía en las calles de detrás del ayuntamiento. Alguna vez, cuando se me ocurría ir con gente nueva, tenía que esperar a que otro tomara la iniciativa y nos guiara. Íbamos en rebaño y yo casi no sabía si Montjuic quedaba del lado montaña o del lado mar, ni si el Gótico quedaba en la parte del Parlamento o en la de la Generalitat.

Estaba convencida de que hacía las cosas más originales del mundo, como corresponde por la edad. La impresión rutilante de que nadie ha tenido nunca, antes que tú, la idea de ir a tomar un chocolate a la taza por los alrededores de Petritxol –y terminar en el antro más indicado para turistas–; de que nadie ha vagabundeado por la plaza del Tripi ni se ha embobado mirando la venta ambulante de la calle Escudellers con la tentación de hacer un viaje sideral o de pensar que se encontraría con Manu Chao; de que nadie ha buscado el último local abierto cerca de la rambla del Raval ni ha hecho cola para entrar en el Pipa Club y terminar cogiendo el primer tren del día.

Acumulé pesados regresos en el bus nocturno hasta el pueblo y cabezadas y párpados exhaustos esperando el primer convoy que me llevara a casa. Las vueltas que daba el bus nocturno por todos los pueblos hasta llegar al mío eran un clásico. Me permitían descabezar un sueñecito o tranquilizar el bum bum cierto y claro cuando la cabeza me iba más deprisa que los pies. Un efecto del bum bum o un ataque de orgullo de clase –ninguna amiga tenía que coger el bus nocturno–: a la salida de Barcelona me maravillaba ser la única que presenciaría el irreal espectáculo de la fábrica de cemento. Después de dejar atrás los cinturones de la ciudad, y con la impresión orbitante que da el alcohol, igual me parecía una estación espacial en reposo que un mamut que hubiera vuelto solo para mí.

En caso de que hubiera obras en algún pueblo, la ruta del autobús se convertía en un viaje infinito al fin de la noche. Coincidí varias veces con un conductor que insistía en darme conversación. Yo me sentaba en el asiento más cercano para que no se me pasara la parada si me dormía, y él venga a darle a la lengua mientras el traqueteo inacabable de la carrocería del autobús ahogaba toda la disertación. La lentitud de las obras –las del pueblo, las de la Sagrada Familia, las del tren de alta velocidad...– y el salvajismo de los demás conductores del mundo, con las críticas consuetudinarias, ocuparon horas y más horas del regreso a casa. Me agarraba con fuerza a la barra de delante, porque se arrimaba mucho a los coches y tomaba las curvas sin piedad, y le decía que sí y alguna que otra cuña menor de seguimiento de la conversación. Daba completamente igual que solo entendiera un par de cosas de todo lo que decía. Era la prenda que pagaba para que después se detuviera en una parada no autorizada, es decir, la mía imaginaria, debajo del puente de la autopista. Si no era este conductor, el nuevo a lo mejor no se enrollaba y me dejaba en medio del pueblo. El muy capullo. Eso quería decir que todavía me quedaban quince minutos a pie por el polígono arrastrando un sueño que casi no me dejaba abrir los ojos. No tenía fuerzas ni para sentir miedo.

Cuando regresaba en tren, el viaje adquiría dimensiones de epopeya. Recuerdo con un poco de vergüenza la primera mañana que lo cogí, un jueves universitario que ya era viernes. Volvía a casa empapada en alcohol y humo en el mismo tren en el que viajaban como sardinas los obreros que abrían las calles y las fábricas. Admiraba su proeza. Nunca me ha gustado madrugar.

La estación del pueblo estaba en la otra punta y a aquella hora de la madrugada parecía que estuviera a muchos kilómetros del barrio. El polígono acababa de empezar a quitarse las legañas y se sorprendía al verme volver tan temprano. Yo miraba de reojo a los obreros que iban al trabajo, a ver si me miraban con odio y adivinaban que estaba a punto de irme a dormir. Del mismo modo, mi padre, que ya estaba despierto para atender a los animales, me decía:

–¡Vaya horas!

Y yo le decía que venía de casa de una amiga, pero que había preferido coger el primer tren para levantarme en casa, que no tenía clase hasta el mediodía. En los primeros tiempos de la universidad no tenía ninguna amiga con piso propio y no me quedaba más remedio que afrontar esta precariedad. Igual que las primeras veces que hice el amor. ¡Me suena tan de aquella época decir «hacer el amor» en vez de «follar» o «echar un polvo»!

La primera vez que follé fue en un coche. En el polígono. En una calle transversal, entre un par de remolques de camión aparcados. Parecía un rincón muy tranquilo. Pero fue un auténtico desastre. Yo le había asegurado que no había nadie por la noche. Exageré. Y bromeé con la anécdota de que un día había visto unas marcas de dedos en un cristal empañado que traslucía unos movimientos acelerados. No fue la mejor broma para preparar el terreno. Fue un lío, el típico atolondramiento pasional antes de empezar y la presión posterior para acertar y acompasar la penetración, la posición, el ritmo. No recuerdo placer alguno. Solo el susto por si había visto la manchita de sangre. Y el coche de los vigilantes, que había pasado un par de veces y a la tercera se permitió el lujo de alumbrarnos.

Otras noches cambiamos el polígono por un descampado que había más allá del cementerio. Eran campos abandonados, pendientes de una recalificación que tardaba en llegar. Además del cementerio había un vertedero ilegal, otro descampado que era tierra de nadie y unos campos. Aparcábamos el coche en el primer campo de antiguas viñas en el que solo crecían malas hierbas y forraje que nadie segaba. Había sido de mi abuelo hacía muchos años, una parcela de la propiedad que malvendió. No sé por cuántas manos había pasado. La abundancia de rodadas de otros coches indicaba claramente que allí habían parado muchos antes que nosotros. Para llegar a este sitio, que *a priori* no incitaba a la voluptuosidad, había que remontar la cuesta del cementerio, rehacer el camino que había recorrido ya tantas veces para disfrutar de las vistas de la autopista.

En realidad había dos cementerios. Subiendo a mano derecha, el nuevo, cuyas paredes se veían desde la ventana de mi dormitorio; la obsesión por la asepsia le había robado toda la gracia estética. A mano izquierda, el viejo, con las lápidas antiguas, algunas más recargadas, algún panteón y algún nombre que coincidía con otro que me sonaba del pueblo. El viejo era más laberíntico, evocaba más posibilidades.

El cementerio era el primer hito geográfico que habíamos marcado en las excursiones iniciales en bicicleta: un ensayo de salir del templo del barrio. Había paseado sola por allí algunas veces, observando de reojo a los otros visitantes. Me acercaba como si fuera a saludar a los vecinos. Me daba cierta morbosidad inofensiva, experimental, mirar una cara grave, al borde de las lágrimas, reconcentrada ante una lápida. O ver a una señora cambiar las flores de un nicho con una energía fulminante, y a otra, toda de negro, soltando un par de gemidos. Todavía creía que los muertos iban al cielo, como me habían dicho del abuelo y como se suponía de la tía soltera. Todavía no sabía interpretar las modalidades de fantasmas que se pueden desplegar, si es que algún día se aprende a interpretarlas del todo.

Al campo del abuelo llevé a dos, tres..., ¿cinco? Me lo invento, según con quién hable, que para algo el amor no son matemáticas. Y el recuerdo está condenado a jugar con la mentira. (Tampoco es una novedad.) El cementerio era una pieza más de un paisaje que, prejuicios y temores aparte, regalaba calma. Al menos a mí. Creo que el primer chico con el que fui allí no pudo quitarse el canguelo de encima.

–¿Seguro que esto es tranquilo? –dijo, como quien no quiere la cosa, pero ostensiblemente sorprendido del sitio al que nos dirigíamos. Le conté lo que decía mi abuela que le decía Masses: de aquí al cementerio no tengas miedo de nada; de lo que no te puedes fiar es de lo que hay de aquí al pueblo. Pero no me pareció que lo convenciera.

Al principio y durante bastante tiempo, el sexo de polígono y descampado fue muy deficiente. Pero después, entregarse al contacto, navegar en las caricias y en las puntas del placer, empezó a adquirir una fuerza propia: era perseguir otros cuerpos y encontrar la confianza que me faltaba en el mío; era salir del mío y de mis propios límites, aunque no supiera muy bien el rumbo de la exploración. Somos esencialmente tacto y, pensándolo bien, a mí me lo habían negado desde los primeros meses de vida.

Después tuve que arrinconar el espacio de asco preeminente que había ocupado durante mucho tiempo el masturbador repulsivo, y con él, otras amenazas y temores relacionados con el sexo. Cada conquista de un cuerpo –¿fueron tres, cuatro o seis? ¿Cuáles cuentan y cuáles no?– simulaba ser una conquista del espacio propio. Digo simulaba porque las fragilidades no se esfuman por arte de magia, y cuando vuelves a abrir los ojos al día siguiente por la mañana, compruebas que no se han evaporado. Al contrario, han criado verdín.

En el coche se me clavaba todo. Si intentábamos alguna maniobra en la parte de delante, era terriblemente incómodo. Recuerdo con un dolor especial la palanca del freno y la del cambio de marchas. Las primeras caricias en el lado del conductor resultaban una tortura para los muslos, que al final se llevaban algún cardenal. La clave estaba en pasar cuanto antes a los asientos de atrás, previa contorsión si las carantoñas subían de tono. En la parte de atrás, si se echan hacia delante los asientos del conductor y el copiloto, queda bastante espacio, aunque parezca raro. Y se pueden probar un puñado de posturas imaginativas. Bueno, unas pocas. Resulta más fácil si el otro no es muy voluminoso, aunque también es importante que disponga de cierto vigor físico cuando llega el momento de hacer una tentativa más acrobática. El modelo de coche lo condiciona todo, pero hasta de un palmo de terreno se puede sacar petróleo.

No sé por qué me lío hablando de todo esto en unos términos que parecen de manual de lavadora. A veces me desborda la obsesión de medirlo todo, de dar a la realidad una apariencia computable para que sea más comprensible, más transitable: averiado o no averiado, salida o huida, posición correcta o tedio, noche que cuenta, noche que descuento... Y ni el sexo del polígono ni muchas otras cosas funcionan apretando un botón. Y la maternidad, menos aún, supongo.

Tuve un novio, Ema, con el que hice algunas excursiones nocturnas estupendas en el asiento de atrás. Una relación condensada –tres o cuatro meses estridentes–; le divertía bastante ir a pastar al campo del abuelo. Si había llovido últimamente, se notaban mejor que nunca las rodadas de otros coches, como si un dinosaurio hubiera dejado ahí su huella. Y tenía su encanto saber que encontrarías placer en aquel rincón al que otros también habían ido a buscarlo. Era como si compartiéramos entre todos una consigna secreta.

Me agarraba a la parte superior del asiento rodeando a Ema con los brazos y así daba un impulso cada vez mayor al movimiento de ancas para notar su miembro cada vez más dentro, y más y más. Y a veces me agarraba al asiento con un brazo solo y con el otro lo empujaba hacia mí por la espalda, cada vez con más fuerza. Ema... Y la movilidad horizontal se completaba echándome hacia atrás, apoyándome casi en el asiento del conductor, y él me agarraba por los muslos para hundirme... Ema... Chupetones en el cuello, arañazos en la espalda, juego de pechos... Y cuando las rodillas no se habían rendido todavía, enrojecidas por el roce con la superficie rugosa del coche, entonces botaba arriba y abajo, y alguna vez, en algún coche estrecho, llegué a tocar el techo con la cabeza y había que rehacer los movimientos, pero con Ema no. Con Ema eran milimétricos, acompasados; botes arriba y abajo, definitivos, y en cada bajada me parecía que iba a estallar todo allí en medio, ya estábamos pegajosos, sudorosos, estallaría todo como un océano desbocado que se va a tragar cuatro islas enteras... Y pasaba un coche que nos deslumbraba un momento y aminoraba, el cabrón, y ahora con las largas. Después apagaba los faros de golpe y aceleraba de repente.

Nos vestíamos deprisa. Siempre se resistían a aparecer las bragas o un calcetín, hasta que salíamos del coche sofocados. La ventanilla bajada a medias no había sido suficiente para compensar la condensación del interior. El cristal estaba tan empañado como el del coche que había visto yo en el polígono.

Ema sacaba el paquete de Marlboro. Yo le pedía un cigarrillo. Parecíamos sacados de un videoclip de cliché.

–¿Por qué compras Marlboro? –le pregunté la primera vez. Las conversaciones sobre el tabaco suelen ser una chorrada para llenar silencios–. ¿No te gusta el Camel?

Al salir del coche recibíamos de buena gana el airecillo exterior. Y yo, la sensación de humedad que quedaba en las bragas. Y la humedad que subía del suelo y me mojaba las deportivas, en contacto con la hierba. Sexo sin otro objetivo que el sexo. ¿Cuántos hombres y mujeres se habían amado antes que nosotros en aquellos apartaderos, dentro de un coche o a la buena de Dios de los desamparados?

Con las primeras caladas enseguida venía la sensación de fundirse con la panorámica que teníamos delante. Desde el campo de mi abuelo se vislumbraba el barrio mucho más abajo, y el extremo de un tejado que asomaba. Los vecinos no me veían, ni yo a ellos. Y más allá se extendía la serie de lucecitas titilantes o incrustadas en el cuadro, de un amarillo mortecino o de un rojo casi de neón, un letrero de una fábrica que sobresalía, un coche que daba la vuelta, un camión que llegaba de noche... Y el tráfico de la autopista, más escalonado, con algún fitipaldi que tocaba el claxon o dejaba un rugido de velocidad en el aire. Y al lado el palo con el anuncio que clamaba al cielo, como una mierda eminente que se empeñaba en arrancar la ovación de los demás: la reserva de leones de Francia, el candidato de unas elecciones, un camping de la costa, un hotel de baja estofa, un sitio para comprar piscinas, una empresa fumigadora, otra de desguace de coches... Desde el balcón de mi casa se veía, mucho más perceptible, la decrepitud de aquella valla publicitaria mastodóntica. Parecía una virgen perdida que todavía espera que la encuentren.

Las naves aparecían como un animal compacto dormitando. Desde el campo se oía un rumor tranquilo, una mezcla ronca que se unía al escaso tráfico de la autopista. En la raya del horizonte rompía el conjunto un cuadrado luminoso descollante: era la cárcel. A excepción de este fortín, las lucecitas formaban un *continuum* que se unía a la Ciudad de al Lado y a un par de pueblos más, sin fronteras ni distinción.

En uno de estos pueblos limítrofes destacaban un par de búnkeres: un mazacote que humeaba (la empresa de productos alimentarios que en sus mejores momentos había dado trabajo a muchas madres del colegio) y el llamado barrio del polígono, situado en una precisa línea recta respecto a nuestra posición. Si alguien nos hubiera observado desde el otro lado con un telescopio, y nosotros a ese alguien, ¿nos habríamos reconocido? Siempre pensé que había alguien al otro lado repitiendo nuestros gestos. Una pareja sudorosa salía del coche, se salpicaba los pies de chorritos de humedad y encendía un cigarrillo. Y uno de los dos, después de echar el humo con parsimonia y en actitud de querer detener el tiempo y alargar la voluptuosidad, preguntaba:

–¿Por qué fumas Camel?

Y tal vez esta clase de preguntas obtuvieran respuestas semejantes en forma de mueca, allí y en otros sitios, todas a la vez. Y tal vez existieran muecas viajeras en el tiempo que, años después, se filtrarían en una habitación de hotel durante una convención editorial: la mueca que debí de hacer en el segundo orgasmo con Jonás. Y quizá fueran todas hijas de la misma mueca universal que se hace cuando no se entiende bien nada, que es lo que suele pasar por lo general.

La primera vez que subí en avión fue para ir a Mallorca en el viaje de fin de curso del instituto. La segunda, para ir a París cuando, en tercero de carrera, se me ocurrió hacer un Erasmus. Fue un impulso, sencillamente me parecía que tenía que hacerlo, como si me obligara una fuerza... Aunque lo cierto es que nada me obligaba y soy incapaz de elaborar una explicación completa de por qué me dio por ir a París cuando apenas conocía Barcelona. No me esperaba nadie ni en la universidad ni en París. Nadie me animaba a ir. Me arrastraron unos hilos invisibles de una disposición desconocida. Los llamo hilos invisibles e inmediatamente me digo que he escrito una memez, porque los hilos que visualizo son los del cableado eléctrico que montaban mis padres encima de un tablero robándole horas al día. Los ayudaba mi hermano y algunas veces, yo. Según un croquis que indicaba la dirección de cada hilo y siguiendo los colores, había que disponerlos encima de un tablero y pasarlos por un circuito determinado señalado con clavos. Y por último, en cada punto final del circuito se ataba el haz de cables con cinta aislante. Se formaban haces gruesos y finos. Cuando lo terminábamos, quedaba un cuadro de la economía sumergida bastante gracioso, con la diversidad de hilos de colorines.

Me impresionó volar sola a la Ciudad de la Luz y etcétera. Solo había cruzado la frontera hacia el norte una vez, para ir a Auvergne, una región del centro de Francia, a hacer un voluntariado de dos semanas. De ahí procedía mi francés macarrónico. De ahí y de estudiarlo un par de años en secundaria. Una profesora, que era puro nervio –bajita y poca cosa, parecía que llevaba un motorcito incorporado–, me inoculó esta lengua. Fue un azar como tantos otros. Yo no estaba programada para aprender francés ni por generación ni por la estructura de la enseñanza pública. (Solo se enseñaba inglés en esa época.) Contradecir la simplicidad y la aspereza de los currículos educativos que no esperan nada de ti debe de ser una de las volteretas más edificantes. Lo cierto es que el sistema quiere reducirnos a un protocolo. Nos echan encima programaciones que son como las cruces que profetizaba mi abuela. Esquivarlas es una gimnasia vital.

Miraba los libros escolares de mi hermano y me encantaba comprobar que los profesores no se salían ni un milímetro de lo que ya decían los libros. Me gustaba empezar por el final porque sabía que no llegaríamos, como todos los años. Diría que lo hacía por una curiosidad ingenua y limpia, no por un espíritu academicista que nunca he tenido. Accedí al francés por una curiosidad semejante, gracias a la optativa ocasional que se sacó de la manga mi profesora motorizada. Fue un azar que me permitió presentarme para el voluntariado de Auvergne y después irme a París.

Hice la precaria travesía hasta el centro de Francia enlazando multitud de trenes con un chico y una chica que también participaban en el voluntariado de verano. El primer impacto de no entender nada de otra lengua es una cosa que no se olvida. Después se desarrollan la paciencia y la perseverancia. En París, el impacto fue un castañazo de realidad.

Llegué a la ciudad del *spleen* de Baudelaire y de los apagados cuadros de Monet con un lirio alegremente colgado de la mano; cuando volví, el lirio había desaparecido. Me desvivía por todo y todo me desbordó. Ir al supermercado y elegir entre un maremágnum de cosas, previa identificación de cada una; acertar con la dirección de las líneas de metro y soportar que me engullera la multitud en los pasillos (con ese olor espeso de cortina meada de Versalles que siempre tendrá el metro de París); fingir seguridad cuando me sentía como un mueble abandonado en las clases de la universidad, un mueble carcomido de la casa de mis abuelos, de los que había que tirar; apuntarme a las clases más exóticas para reafirmar esa seguridad de ficción (la palma se la llevaron una asignatura de arte armenio y otra de lengua y cultura yiddish, locuras que diría que me dejaron un rastro entre dudoso e invisible). No había más que fiebre, agitación y confusión. Y al final ganó la confusión.

Tal vez debería empezar por el error fundacional. En París viví en una residencia femenina. Fue una idea idiota ir a parar allí. A otra chica de mi facultad –que también hacía el Erasmus en París, en la misma universidad que yo, la mistificada París 8 Vincennes-Saint Denis– y a mí nos dio la tontería de que era mejor evitar la residencia de estudiantes a la que iban todos los de Barcelona. Después de comprobar que el alquiler –incluido el de la habitación– no estaba a nuestro alcance, cuando empezábamos a desesperarnos, acabamos en esa residencia.

Habíamos estado a punto de alquilar un piso de la

banlieue, relativamente cerca de la universidad, junto a un descampado que daba miedo. La época de los descampados halagüeños había quedado atrás. La propietaria del piso, una gallega vieja que vivía sola, exiliada de la Guerra Civil, nos perjuró que la zona había mejorado mucho, que ya no había drogadictos ni peleas por la noche. Aceptamos el elevado precio del alquiler, que no se dignó rebajar ni un céntimo, y al momento nos echamos atrás. Al ponernos a mirar todos los detalles insidiosos que al principio habíamos pasado por alto nos entró el canguelo: la humedad flagrante, la oscuridad de la calle en la que estaba el inmueble, las escaleras hechas polvo, la puerta de abajo que no cerraba bien, los cristales rotos, la pinta de tugurio que se comía el piso, el edificio entero y los de al lado... La inspección de ese piso de la *banlieue* me perfiló una foto un poco más exacta de mi barrio, del sitio del que había salido yo. En París descubrí que, sin saberlo, yo también vivía en la *banlieue.*

Después de descartar la guarida de la gallega, agobiadas, un poco asustadas y con las clases a punto de empezar (qué ilusas habíamos sido al creer que encontraríamos una alternativa idílica en un pispás), dimos con nuestros huesos en la residencia solo para chicas.

Estaba en el *19ème arrondissement (pas mal),* cerca del metro Jaurès, del bosque de Buttes-Chaumont y del parque de la Villette. Con el metro me plantaba en un momento (que quería decir media hora bien cumplida) en el Centre Pompidou, uno de los sitios a los que me aficioné. Para aliviar los malos ratos y porque me aburría. Pero las dimensiones de París me superaron al compás de adversidades que no lograba entender. No había dejado atrás la adolescencia.

No estaba acostumbrada a los largos trayectos en metro, y las aglomeraciones, casi aludes, de los cambios de línea se convirtieron en una tortura inenarrable. Y al mismo tiempo, tampoco sé por qué, disfrutaba cabalgando por la ciudad con un frenesí inusitado, de aquí para allá, de una punta a otra, como si ese frenesí fuera a permitirme ganármela. Como si de un combate se tratara, de una carrera de la que cada vez volvía más baldada.

El cuarto de hora que tardaba en ir del barrio al pueblo, o bien la media hora de tren hasta Barcelona, eran tiempos irrisorios en París. Para ir a la compra, para trasladarme a otro distrito y a la universidad, necesitaba largos trayectos en transporte público, fríos y solitarios... Podría engrosarlo todavía más con unas cuantas rémoras de tópicos sobre la incomprensión y la alienación del individuo contemporáneo y decir que la niña solitaria que había sido, la enfurruñada de la foto, era aquí presa del desconcierto más florido. Y que solo encontraba un poco de consuelo en la panadería de unos marroquíes que había cerca de la residencia, que se habían instalado en París después de vivir en varias ciudades del sur. Todo esto seguiría siendo una verdad a trozos, la de entonces.

–Vinimos aquí porque había más posibilidades. Además teníamos algunos familiares y por eso nos decidimos. Todo es muy caro, pero si hay alguien que te ayude... Ahora ya hace quince años que tenemos la panadería.

Me contaron el largo viaje en coche que hacían todos los veranos para ir a Marruecos, a la región de Larache. Me hablaban despacio. Yo los entendía y ellos procuraban que los entendiera y no me corregían ni me contradecían cuando mi acento no se ajustaba al canon parisino. En ocasiones iba dos veces al día para poder hablar con alguien amable. Me sentía tan extranjera como ellos al principio, supongo (es lo que prefería pensar, porque en realidad era incapaz de ver la compasión que debía de inspirarles; buscaba síntomas y augurios por todas partes con un deje de juventud incomprendida y atormentada, un deje impúdico –lo llamaría ahora– que actuaba igual que cuando a un ojo le da un leve tic nervioso).

En consonancia con el cuadro general, la entrada en la universidad fue caótica y torpe. Supongo que no supe identificar el canal por el que se conoce rápidamente a otros estudiantes de Erasmus o a otras personas mínimamente interesantes. O por el que se asiste a las asignaturas más adecuadas o se encuentran los bares más concurridos y con más camaradería del recinto universitario. Lo cierto es que fui a parar a las clases más estrambóticas, en las que, a pesar de los intentos de establecer relaciones, el aislamiento aumentaba. En vano intenté acercarme a los tablones de administración para averiguar adónde tenía que dirigirme, dónde se encontraban las actividades, la juerga, la alegría.

La universidad, con su aire progresista del tamaño de una catedral gótica, no parecía dispuesta a reservarme un rincón. No olía por ninguna parte el historial del Mayo del 68 que la coronaba como las gárgolas de Notre-Dame, tan admiradas por todo el mundo. El remolino de la vida, que a veces cae por el lado de la esperanza y a veces por el del dramatismo, me succionaba sin darme tregua ni explicación. Intentaba las incursiones más ridículas para abrir nuevas vías sociales transitando por unos andurriales –los de las inquietudes existenciales, los intereses frikis y una vaga idea de atrevimiento e incluso de impostura– que los miedos se zampaban rápidamente.

Al mirar atrás, las vallas que se han saltado parecen poca cosa. Tal vez sea un efecto óptico, porque algún día también mermarán las del presente. Es conmovedor. En aquellos momentos intentaba concentrarme en el interés inaudito que se suponía que me despertaban las clases de yiddish y de arte armenio: a ratos pensaba que esos conocimientos nuevos eran el sueño de mi vida; otras veces creía firmemente que me estaba grillando como las patatas, que estaba perdiendo el tiempo. Y no se me ocurría nada más que estas intentonas impulsivas.

Probé a refugiarme en la biblioteca. Era un sitio tranquilo, solo hacía falta no perder de vista la mochila, y los primeros días funcionó. Hasta que se me acercó un chino que se presentó melifluamente. Era fotógrafo y se había fijado en mi cara, le parecía muy interesante... Dijo «interesante». Le gustaría hacerme unas fotos si no tenía inconveniente. Sin perder el tono melifluo –eso lo reconozco–, afirmó que era especialista en desnudos. Así empezó otro numerito que yo no entendía, un numerito que tenía pinta de espantapájaros de campo. En el momento en que me pasó la tarjeta me di cuenta de que ya era tarde: tenía que volver a la residencia.

–Ah, yo también tengo que coger el metro, si quieres vamos juntos.

Me pareció un ofrecimiento tan baboso que lo dejé con la palabra en la boca. Ya estaba en el metro cuando vi que se había metido en el mismo vagón que yo y que no me quitaba la vista de encima. Y me sonreía. Volvió el holograma del peligro del masturbador asqueroso. La bocanada de desesperación me puso el lagrimal a punto de estallar. Cuando llegó el momento del transbordo eché a correr entre el avispero humano que se movía al unísono y creo que no volví la cabeza hasta que pisé la residencia y una administrativa me dio las buenas tardes con amargura. Las secretarias de la residencia eran robots secos que a la mínima te recordaban las reglas. No es que las reglas fueran tan severas –bueno, no podía llevar hombres–, pero tampoco hacía falta que te las recitaran a diario.

A consecuencia del yiddish me dio una locura por la cultura judía. Una neura con la que matar el tiempo y, de paso, algún demonio escurridizo. Es curioso, porque mi amiga verso libre de padres de kibutzs nunca me había contado nada de la historia israelita. Me iba sola de exploración al Marais y compraba dulces y periódicos de la comunidad. Fui a ver el Museo del Judaísmo y una sinagoga que, tras muchos esfuerzos, conseguí que me enseñara un ayudante de rabino. Supongo que era un acto reflejo para encontrar una tribu, para refugiarme en alguna parte, para mitigar la sombra de forastera, que me parecía más viva que nunca.

En la rue Pavée, unos metros más allá de la sinagoga, había una escuela judaica. Llevaban a los niños en furgonetas, casi siempre conducidas por guripas que los dejaban justo delante de la puerta y vigilaban para que no se les acercara nadie. Perdí algunas mañanas observando estas escenas, si no tenía clase. Un día, cuando la escuela ya estaba cerrada, vi allí delante a tres hombres con escafandra blanca. La zona estaba acordonada y los hombres inspeccionaban algo moviéndose con lentitud, como si estuvieran en la luna. Parecía el circo. Un vecino me dijo que se trataba de un paquete sospechoso, que no era la primera vez y «ahora, con todo el lío del ántrax, están muy alerta». La cosa no tuvo mayores consecuencias, enseguida dijeron «circulen» a la gente que iba de paso y pudimos hacernos la ilusión de que la era del pánico general había pasado a la historia.

El fervor por estas expediciones en solitario subía como la espuma y se volatilizaba después de la misma manera. Al cabo de unos días –o unas semanas– se esfumaba la vitalidad que me había animado. No quedaba ni rastro. Solo cansancio.

Cuando volvía a la residencia por la noche y tenía que hacerme la cena yo sola y cenar sola –un intento de coliflor gratinada que al final se quemó, una tortilla que parecía un revuelto...– y tenía que soportar la frialdad de unas compañeras de lo más insustancial, se desataba la tormenta: rayos y truenos, y yo, sin sitio en el que guarecerme, añoraba persianas y ventanas y salía a comprar un paquete de tabaco y esquivaba al borracho que descansaba al pie de la entrada de la residencia. Alguna vez fui sola al bar más cercano a tomar una cerveza (una sola, porque el precio era prohibitivo), y renegaba de los grupos de amigos que se reían y de las parejas que se chupaban el cuello. Cumplía con el arquetipo de jovencita maldita que se monta numeritos para parecerse a Rimbaud, aunque ni siquiera compone versos ni es un verso libre de verdad. Hacía mucho tiempo que no tenía una relación, demasiado. Y había soñado que París sería un bote salvavidas. Como se puede comprobar, no destilaba ni una pizca de originalidad.

Al verme fumando, el borracho me dio conversación. Y cuando entré en la residencia, un par de brujas, policías vigilantes e inquisitoriales, me pusieron mala cara porque olía a tabaco. Y así se agrandaba la caricatura. Yo no le veía el punto cómico, incubaba madera de artista trágica. En aquel agujero no conocí a nadie interesante, era como si estuviera en una cárcel fortificada fuera del tiempo y del espacio (tampoco sé si eso fue una construcción a medida de mi nihilismo de juguete). Pero me encontraba fuera de lugar. La relación con la otra chica de la facultad que también estaba en la funesta residencia se fue deshilachando, aunque me agarré a ella una temporada porque no conocía a nadie más. Cuando le conté la propuesta del fotógrafo chino se echó a reír. El diagnóstico debía de clamar al cielo. Ella se conformaba más fácilmente, y en cuanto se hizo con una pandilla de dos americanas, un madrileño y una aragonesa que fumaban porros al por mayor, lo demás le importaba un rábano. Una de sus amigas americanas hacía tiempo que vivía en París. Tenía un piso bastante grande en el barrio chino que hacía las veces de epicentro social. Una noche fui allí a una fiesta que habían organizado. Fue un auténtico acontecimiento, habida cuenta de las pocas ocasiones que se me presentaban. Fui con el entusiasmo de un jugador de póquer que se imagina que en la siguiente partida cambiará su suerte definitivamente y le hierve la cabeza de proyectos para la nueva vida que está a punto de empezar... Allí me enteré de algún detalle más del madrileño, que era hijo de un diplomático y llevaba camisas ajustadas y pantalones de cintura baja que le marcaban el paquete: un Cayetano de manual. La aragonesa era hija de un empresario de logística. Y la americana que montaba la fiesta, hija de un linaje californiano que se había enriquecido gracias a productos químicos e insecticidas para los campos, se paseaba con una arrogancia exasperante. Y conocí a Ryan. Enseguida me pareció que era diferente. Otro inadaptado, pensé. No sé si él pensó lo mismo de mí. Y nunca lo sabré.

Quedé algunos días con Ryan para ir a pasear por el Sena, del lado de Saint-Germain-des-Prés. Buscábamos algún resto iluminador del pasado del barrio como implorando una reacción, un acto piadoso en el lugar común, el más común de los lugares posibles. No teníamos ni cinco, así que solo paseábamos. Yo había ido a París con los ahorros de trabajillos que había hecho mientras estudiaba (vender Detersolín en una droguería, pasear perros, empaquetar calcetines y muñequeras...). Ryan, no lo sé.

Un día fuimos andando hasta el Instituto del Mundo Árabe y me contó su historia. Una parte, porque todo él parecía hecho de trocitos. Hablaba lentamente, a trompicones. Daba la sensación de lanzar las palabras por un peñasco mientras lo balanceaba una borrasca incesante. Su barranco resultaba cautivador. Cuando no conseguía expresarse en francés lo hacía en inglés, de mal humor.

Yo quería saber muchas cosas y él siempre dejaba sombras. Le dije que París me entristecía, que me parecía una ciudad demasiado grande, demasiado deshumanizada. Que me había decepcionado.

–Podrías estar desangrándote en la calle y la gente que

pasara a tu lado no te diría ni hola –afirmé como una niñita quejica cuando no le gusta un plato.

Mi madre me había vacunado contra esta actitud. En cuanto empezaba a quejarme me advertía: «A ver si vas a salir tan gruñona como la tía soltera.» París me estaba volviendo gruñona y quería tocarle la fibra sensible a Ryan con mis lamentos supuestamente contundentes. Me respondió con pesadez, haciendo un esfuerzo por salir de su aislamiento, por apartar la niebla.

–¿París? A mí me parece pequeña en comparación con Nueva York. Allí hay barrios muy duros. He visto peleas en la calle y nadie hacía nada. Y gente alardeando con un revólver. He visto cómo golpeaban la cabeza de un tío contra el suelo una y otra vez, pum, pum, pum, sin parar, y nadie se inmutaba. Son cosas que no olvidaré por muchos años que viva. Violencia en todas las esquinas... Estoy marcado por la violencia.

Y la palabra me resonaba como un dolor de cabeza resacoso que no se va, sin comprender que el mito del americano en París es más viejo que andar a pie y que las historias de los abuelos, del Esquilador y del Hombre de Allá Arriba juntas. Maldije sus huesos porque no había podido impresionarlo y su abismo me seducía irremisiblemente, cada vez más.

Yo solo balbucí que no había ido nunca a Nueva York, que la ciudad más grande que había visto era París... Y mientras lo decía, me hundía en mi nimiedad. Para evitar ahogarme definitivamente, para que siguiera hablando él, se me ocurría otra pregunta. No lo sabía, pero necesitaba que me tirara de la mano con sus palabras a trompicones. Y que me enseñara su barro, un barro de tierra prometida que solo veía yo, claro está. ¿Por qué tantas ganas de revolcarme en ese barro? ¿Por qué mi salvaguarda inexistente?

Es muy probable que todo lo que pasó después fuera una obra de reconstrucción –pieza a pieza– de la pared de piedra seca que formaba mi perímetro de certezas –o como se quiera llamar–, que parecía inclinado a flirtear con el derribo de Ryan.

Ryan era judío. Un norteamericano de sangre judía al que le importaba un bledo la religión. Sobrellevaba sus raíces con cierto desdén, como un peso más. Yo había intentado contarle mi obsesión con la cuestión judía, por si podía hacerme de pilastra salvadora de debajo del puente de la autopista, y él se perdía hablando de *lobbies* norteamericanos y del poder que acumulaban.

Siempre llevaba consigo *Ficciones,* de Borges, una traducción al inglés. Lo estaba releyendo. Era uno de sus libros favoritos. También llevaba tabaco y chocolate. Iba a la Sorbona y se dedicaba a picotear en asignaturas sueltas sin mayor interés por terminar ninguna y sin sentirse culpable por ello.

Después de mucho rodeo, mucho embeleso y muchos silencios, como los gatos que se desperezan al sol y se contorsionan más hasta encontrar la postura, una tarde, delante del Instituto del Mundo Árabe me contó su vida a los catorce años.

–Supongo que tuve una adolescencia un poco problemática.

–Como todos, ¿no? –aventuré.

–Sí, supongo. A mí se me mezclaron unas cuantas cosas. Mis padres se separaron. Yo estaba muy enfadado por la forma en que mi padre trataba a mi madre. Era un macho alfa o algo así. Ligaba con todas las alumnas de la universidad, hasta que mi madre dijo basta. Pero también estaba muy enfadado con mi madre, que tiraba de mí, que me chupaba la sangre, que me hacía odiar a mi padre. Los rechazaba a los dos. En casa solo respiraba amargura. El aire estaba muy contaminado. Creo que ya nos levantábamos con una máscara contra ataques químicos.

Se le daban bien las metáforas. No sé si sería por la precariedad de sus herramientas lingüísticas –un francés de andar por casa, un inglés masticado a mi medida–, pero, hablando con él, de pronto se producían estallidos de imágenes.

–Cumplí con el guión de adolescente rebelde. Drogas y todo lo demás, lo típico. Me encerraron una temporada en un centro de desintoxicación o reeducación, no sé. Conviví con unos cuantos tocados del ala. Tocados de verdad. No se lo deseo a nadie.

Se expresaba con la dureza de una persona que hubiera vivido veinte años más. ¿Me estaba enamorando de un loco?

–¿Y cómo saliste de todo eso?

–No lo sé. Supongo que llegó un momento en el que empecé a fingir que me portaba bien, para convencer a mi madre... Solo me tenía a mí. Siempre ha confiado en mí. Es decir, en mis capacidades, en que haría algo que valiera la pena. «A ti te han tocado con la varita, Ryan, tienes algo que no tienen los demás y ya basta de desaprovecharlo.» Me lo ha dicho siempre. No sé por qué.

–¿Y a qué se refería?

–Ja, ja, todavía me lo pregunto.

Ryan no solía mirar a la cara. Cuando hablaba, se concentraba fijamente en un punto del infinito, como si tuviera que inspeccionarlo pasara lo que pasara, como si solo él lo entendiera. A veces se me contagiaba y me ponía a escudriñarlo yo también. Pero él movía la cabeza de repente y me clavaba la mirada de ojos pequeños y cara huesuda. Y entonces, al darme cuenta, yo seguía mirando su punto.

–¿Y qué hiciste cuando saliste de... de ese centro?

–Estudiar. No tenía nada mejor que hacer. Leerlo todo. Y después viajar. Y escribir. Y aquí estoy, en el Sena, contigo.

No podía terminar el relato así. Se me fundió la mirada buscando, sedienta, su puñetero punto de fuga o su don, un faro que me diera una respuesta. O que me permitiera hacer algo que no fuera el ridículo. Y el trastocado –eso lo digo ahora, ¡puñetero trastocado!– se empeñaba en terminar las frases como las había empezado: desde lo alto del peñasco. Después me ofreció un cigarrillo. Lo encendí sin abrir la boca. Estuvo un buen rato hablando de Borges. No me acuerdo de por qué le gustaba.

Me fue imposible conocer a gente normal. Era una mera espectadora. Me hacía la romántica de andar por casa. Paseé por los cementerios en busca de nichos famosos como quien sube una montaña para ver una buena vista. Fui a la Cinémathèque Française, a la casa de Victor Hugo, al Pompidou un montón de veces (subía las escaleras mecánicas como un robot, hasta que me daba vértigo, arriba del todo); fui a la Shakespeare & Co., me senté en el jardín de Luxemburgo, transité entre los empresarios de La Défense, recorrí el Barrio Latino varias veces olisqueando mito, por si contenía algún disolvente. Un disolvente doméstico del fastidio, del *spleen*. Me aburrí muchísimo.

Envidiaba a los amigos que se citaban en la Bastilla y a las parejas que quedaban en la place de l'Opéra, y a los que tomaban unas copas en una de aquellas terrazas tan cucas de bistrot. Quedaba con Ryan por correo electrónico. Los móviles, primitivos todavía, no eran el miembro articular del cuerpo que son ahora. No existían los whatsapps, las redes sociales ni esta manía de localizarse a todas horas. Quedamos un par de veces más. Insistí en su pasado, en cómo se encontraba... No era fácil saberlo. La verdad es que no sabía ni por qué quedábamos. Ni si le molestaba o le interesaba mi presencia. Todo eso era un imán para mí. Me imaginaba que nos embarcábamos en una relación que nos cambiaría la vida por completo. Candidez de ilusa: un embarazo repentino que afrontábamos y nos reforzaba, nos íbamos a vivir juntos a Nueva York, que la criatura aprendiera inglés; él trabajaría de profesor, yo, de traductora; alquilaríamos un sótano en Harlem, que debía de ser el equivalente de una buhardilla en Montmartre... Pero él seguía hablándome de *Ficciones*.

–Tienes que leerlo. Verás como te encuentras mejor en el Sena, aquí, juntos.

Me contaba que había ido a una fiesta, que se había levantado de buen humor, o lo contrario, que no tenía que haber ido a esa fiesta. Seguro que mi madre habría dicho que era un «troli».

Yo no le conté nada de mi don, ni del Hombre de Allá Arriba, ni de mis padres ni del barrio. Ni de mi autopista ni de mis polígonos. Después de los primeros intentos por impresionarlo, creí que no tenía nada que contar. Que mi historia no tenía ningún interés en comparación con la de ese Ryan que había andado por la cuerda floja. Y lo más curioso es que yo, con tanto equilibrio idiota y tantas contorsiones memas, no fui capaz de reconocer algunos nudos de mi cuerda floja. Ryan tampoco me los pedía. Y yo dilataba la jugada y hacía preguntas centradas en lo que me parecía que tenía que ser: en el otro. Porque en casa el centro siempre era el otro.

El segundo día, después de los dramas y virtudes de su adolescencia, nos morreamos. Tengo que llamarlo así porque fue desordenado y desacompasado. Di el primer paso y él no se echó atrás. Tenía en la lengua un sabor agrio de fumador prolongado; la cara chupada y llena de aristas llegaba a expandirse mucho más de lo que me imaginaba. Nos morreamos y nos despedimos como bobos. Al día siguiente me invitó a una fiesta con estudiantes norteamericanos.

–Los de mi país me aburren, pero habrá gente de todas clases. Ven, a lo mejor nos los pasamos bien.

La primera media hora de la noche fue formidable. La conversación entre nosotros, trepidante. Pero después desapareció. Pregunté si alguien sabía dónde estaba y no hubo manera de encontrarlo. Tuve que irme antes de que cerraran el metro. Había bebido un poco más de la cuenta y las lucecitas y el hedor del vagón se me desdoblaban y me hacían sudar. El viaje fue lamentablemente largo. Cuando me apeé en Jean Jaurès, se bajó conmigo una pandilla de jóvenes que armaban jaleo. Apreté el paso para dejarlos atrás. Alguien me dijo algo. Una mujer arrugada que estaba tumbada a la salida del metro me insultó porque no le di nada, y yo estaba a punto de echarme a llorar. Debía de deambular como un monstruo asustado de película de serie B: un monstruo que, además de no dar miedo, se sobresalta con cualquier voz más alta que otra. Ahora no entiendo cómo pude creerme tanto el papel burlesco que me había adjudicado yo sola ni por qué lo interpretaba como si me fuera la vida en ello. A lo mejor había visto demasiadas películas malas. Todavía di una vuelta antes de entrar en la residencia en busca del lacito más pringoso que ponerle al final de la noche. Encontré el telón de fondo apropiado en el parque de enfrente, en compañía de unos pocos árboles raquíticos. Puñetazo a una papelera, patada a un banco y botella de cristal estampada contra un muro. Iba avanzando hacia el videoclip vano de tono autocompasivo. Grité: «¡Hijos de puta!» y un vecino me soltó un improperio. Y lo insulté a mi vez en voz baja, que es como debía de insultar mi padre al encargado de la fábrica o al Quirico. Es el efecto del miedo que destila la sumisión. Empezó a dolerme la mano del puñetazo y todavía me hervían las mejillas cuando me acordé de mis antepasados indómitos. ¿Alguno habría soltado un castañazo como el mío en su Far West, a mil kilómetros de distancia? ¿Alguno había vuelto a casa reducido a la condición de animalillo irrisorio, con la mano hinchada y un runrún de incendio descontrolado?

Mi habitación de la residencia estaba al final del pasillo del primer piso, así que tenía que cruzar todo el parquet viejo que crujía espantosamente. No había forma de disimular el paso. Oí un «¡chsss!» en una habitación. Al llegar abrí la ventana. (La cámara, que ha perdido la fe en sacar algo de provecho de esta noche, enfoca dos metros y medio de altura y una obviedad: no hay ni para empezar.)

A las cinco de la madrugada me desperté muerta de sed y tuve que levantarme. En la nevera solo quedaba un cartón de leche. La más barata del supermercado. Bebí un vaso entero sin respirar y volví a acostarme. La leche fresca me reanimó un rato. Fue una mascarada que se inventó mi cerebro, una tregua psicodélica. En un sueño que cambiaba de color, del azul violeta al naranja y al morado con rayas de diferentes tonos, Ryan y yo corríamos en pelotas por la orilla izquierda del Sena. En realidad, primero salíamos de paseo como un matrimonio endomingado, él con bastón y sombrero de copa, yo con un sombrero redondeado, típico de los años veinte, del que colgaba una cinta que movía la brisa. En vez de pavimento, lo que pisábamos era una alfombra de felpa. Eso nos hacía mucha gracia y echábamos a correr, y los colores se transformaban, cada vez más llamativos, y el suelo tenía la textura de un sillón de escay, la misma que uno desvencijado que había visto en la fiesta norteamericana. Levantábamos la cabeza con la lengua fuera y compartíamos la esperanza de reconocer el Instituto del Mundo Árabe al fondo. Al lado, un público numeroso cuajado de Cayetanos e hijas de empresarios, todos vestidos igual, nos aplaudía. Al principio nos aplaudían con fervor y después se reían de nosotros. Les disparábamos con la mirada, como superhéroes, y entonces su escenario se transformaba en un descampado de jeringuillas. Y nosotros teníamos que correr todavía más, esquivando los proyectiles de colillas y botellas que nos tiraban, para llegar al Instituto del Mundo Árabe, como si dijéramos «¡casa!» en el juego del escondite. Cuando parecía que íbamos a llegar me despertó un retortijón. Tuve que levantarme de la cama de golpe e ir corriendo al lavabo. El vómito fue como un trueno. Detrás de la leche salió todo lo que había comido antes. Y toda la mala hostia. Me dolía mucho la tripa. Me puse a llorar como una niña pequeña. Debía de componer una estampa muy semejante a la de la niña de pecho que adelgazaba por culpa de una leche que no le convenía. Pero ahora juego a imaginarme la estampa, porque el paso del tiempo permite hacer asociaciones libres, porque disimula la dislocación de planes a su gusto para que las imágenes se alineen y tengan coherencia. En aquel momento no notaría nada más que el sabor agrio en el aliento, que no se iba. Y seguro que no me acordé de si me acunaban lo suficiente cuando era un bebé, ni de si un hado fatal perpetuaba esa primera incomunicación ni de si el don no venía a rescatarme y solo me servía para inventar sueños abigarrados.

Con la leche salió una determinación. Me iría de París en cuanto entregara el último trabajo. No esperaría a que acabara el curso. Estaba harta. No me levanté de la cama hasta el mediodía. Entretanto, abrí la ventana para ventilar. Hacia las doce y media bebí agua del grifo, me comí una manzana, puse música y, recordando las caricias de Ema en el campo de mi abuelo, me toqué con una inquietud que negaba el placer. Adiós París; adiós grandezas; adiós Ryan; adiós mitos que no habéis querido hacerme compañía. No me habéis ofrecido ni un chupito de disolvente. Que os den morcilla. Me largo a casa.

Me he preguntado más de una vez si la combinación de alcohol con un poco de hachís y medio cartón de leche es la fórmula mágica para tener sueños psicodélicos. Seguro que si escribo esta receta en el buscador de Google me sale un resultado tan vistoso que pierdo media hora como mínimo. Pero en aquella época internet era solo una playa naíf y utilitaria, no la arena chupóptera que es ahora, así que me limité a escribirle un correo a Ryan para decirle que me iba y que tal vez algún día volveríamos a encontrarnos. Me propuso que nos viéramos antes de que me fuera de París. Le dije que no podía, que tenía que arreglar muchos asuntos. Y no insistió.

La decisión de volver me hizo sentirme eufórica, con un ánimo de victoria como hacía tiempo que no sentía. Incluso disfruté los últimos días en París 8 sabiendo que me despediría de los muros de hormigón, de los estudiantes grises que iban acelerados, con cara de llegar tarde a alguna parte; de la lluvia incongruente que aparecía cuando menos lo esperabas.

Llegué a tener la impresión de que echaría de menos al borracho de enfrente de la puerta de la residencia. O a las funcionarias repelentes con cara de espantajo, como diría mi abuela. Cuando me despedí de los marroquíes de la panadería se me empañaron los ojos. «Si alguna vez vuelvo a París vendré a veros» y cosas así.

La víspera del viaje fue encender una hoguera y quemarlo todo. Es decir, el mismo efecto. Ahora me parece exageradamente afectado, teatral. Y si en aquel momento tuve la sensación de que saltaba por encima de la hoguera como una salvaje, ahora diría que no hacía más que avivar a soplidos un par de llamas a punto de apagarse. Por la mañana limpié la habitación con fruición sabiendo que tenía que pasar un examen porfiado de las brujas, que no pudieron evitar ponerme algunas objeciones endemoniadas. Unos arañazos en la nevera. La marca redonda de un vaso de leche en la mesita. Bolas de pelusa en el cuarto baño... Les habría machacado la cabeza. En serio, creo. No tenía nada en la nevera y me fui a la calle a comer un durum. Decidí salir por la tarde para despedirme de París a mi manera. Y empecé a pasear. No te pares, no mires atrás... Con unas galletas de chocolate en la mochila –lo último que me quedaba de comer– y Coca-Colas que fui comprando por el camino, anduve unas cuantas horas, hasta que se hizo tarde. Recorrí todos los rincones a los que, por un motivo u otro, otorgaba algún significado por anodino que fuera.

Quise volver a sitios a los que solo había ido el primer día, todavía bajo el efecto narcótico de la ilusión. Y constaté una expectativa que no se había cumplido, como si levantara acta de mi decepción. O del fracaso. Algún momento del recorrido me sirvió para gritarle a la ciudad que, en cualquier caso, yo seguía allí de pie, avanzando, haciendo kilómetros, que no había podido conmigo. Era yo la que había decidido dejarla como una amante despechada.

No quise acercarme a los alrededores del Instituto del Mundo Árabe. Pero ese último día tampoco pasé del París más tópico. Tal vez necesitemos recorrer el tópico, como haría un ratoncito de laboratorio que tiene todos los pasos marcados, para que la frustración salga a flote y la geografía escondida, la que solo sabes tú, se aclare. Quizá París sea un señorón de clase alta que te rechaza hasta el día en que por fin te acepta. Cuando llegué al Louvre era de noche –las diez tal vez– y el viento soplaba. No había nadie por allí. Miré a izquierda y derecha, solté un alarido desgarrado y dije a gritos algo parecido a: «¡No me habéis vencido, cagüendiez, ya nos veremos las caras!» Cada vez más alto. «¡A tomar por culo, hostia puta!»

Era un día laborable de mayo y hacía más frío del habitual. La ciudad se mostraba terriblemente bonita. La miraba de hito en hito mientras apuraba el paquete de galletas de chocolate. ¿Y si ahora me atacara alguien por la espalda?, pensé cuando me alejaba de Notre-Dame. ¿Y si se trunca mi marcha triunfal por París? Sentí un escalofrío, un recordatorio de la fragilidad acumulada en las últimas semanas, del vértigo, de calcular si, desde la altura en la que estoy, me despachurraría o solo me rompería las piernas. Y me pasaron por la cabeza impetuosamente Ryan y su desaparición, el chino baboso, las clases de yiddish, el ataque con ántrax... El presunto ántrax habría podido convertirme en heroína, como los supervivientes de las Torres Gemelas. Un auténtico barullo, la nube de Tàpies instalada en mi azotea, como un semáforo averiado que parpadea sin cesar y te dice: «Ahí tienes tu extranjería, guapa. ¿Creías que podías escapar? ¿Creías que todo se solucionaba huyendo?» Toda escapada es una trampa. Y toda trampa tiene unos segundos de broma.

La despedida de París fue una broma y una lucha por

dejar el cerebro en tiempo muerto. Intenté adormecerlo con un ejercicio que había repetido muchas veces: repasar mis parecidos con la familia. Palpar a cada miembro y su correspondencia, de quién era, a quién se parecía. Gimnasia para reconocerme, como arrimarse a una pared en busca de protección. De quién eran los ojos, los brazos, la boca, los pies... Pero aquí intervino una especie de detallismo recalcitrante, desconocido hasta entonces. «Tengo un dedo corcovado en cada pie, el segundo, igual que mi padre.» Más vale tener claras las taras. En vez de contar ovejas para dormirme, contaba las semejanzas familiares que había intentado localizar muchas veces. Para saber quién era y de dónde venía. Y ahora tal vez también para saber adónde iba... Las calles de París se volvieron esponjosas, yo iba pasando por ellas como flotando, ingrávida. Me repasaba y repasaba la ciudad. Me escrutaba y escrutaba el entorno adverso que, a esa hora, en esa grieta que se abría en el espacio y en el tiempo, se me antojaba monocromático, reluciente. Deambulé con la sensación de ser la única persona que observaba la ciudad, recorriéndola conscientemente, y los demás eran meros figurantes de una película de muertos vivientes. En la cabeza me bailaba una cantinela mientras yo bailaba por las calles...

«Tengo los ojos de mi padre, el pescuezo y la complexión menuda de mi madre, el pelo fino de mis tías, la risa y el culo inexistente de mi abuela paterna.» Cementerio de Montparnasse-Boulevard Raspail y una librería esotérica. «La rabadilla, un poco cargada, es de mi abuela materna. Las tetas parecen cosa de las dos familias. Tradición de amplitud.» Jardín de Luxemburgo, place de l'Odéon y rue Racine. «Racine», una ironía de regalo, para mí, que hurgo en las raíces. Colorines en el Barrio Latino, luminosidades alucinógenas. Veo el Pont Neuf desde lejos. Y los candados del puente, qué chorrada. La gente se encadena a cualquier memez. «No hay explicación consensuada para la longitud de los dedos de las manos. "Esta niña será pianista", decían. Aunque nunca hubo ningún piano en casa. Tampoco hay motivo científico para las pecas de la cara, que van perdiendo el color desde hace un tiempo.» Place Hôtel de Ville, me quedo un rato, rue de Rivoli y me saludan los tubos de la parte de atrás del Pompidou. «La nariz, a su aire más o menos. Es más fina que la que tenían otros familiares.» La plaza empedrada. La variedad de gente que circula por aquí a esta hora. «Vamos a repasarlo todo: las cejas... diría que las cejas son de mi abuela. Cuando sea vieja se me pondrán frondosas. Las canillas de las piernas podrían ser de mi madre. ¿Los brazos? Tampoco está claro. La cintura... No sé precisarlo...» Cuando veo el metro de Rambuteau ya no puedo decir ni pío. Los parecidos remotos no son suficientes. No bastan para seguir la huella de la identidad y trazar un esbozo fiable. Es un exorcismo sin sentido. Terminé extenuada. Y todavía tenía por delante media hora más de metro. En el vagón vacío, el sentimiento de extrañeza de toda la vida iba sentado a mi lado. Si había alguien más que nosotros dos –el forastero aquel y yo–, no lo vi. Antes de apearme ya empecé a añorar ese metro elevado que me dejaba en Jaurès y que al menos me permitía viajar a *Blade Runner* y a un Los Ángeles imaginario. «He visto cosas que jamás creeríais», murmuraría para mis adentros. Había refrescado ostensiblemente y me dolía la espalda. Tenía un leve runrún en la barriga. Desde el durum del mediodía solo había comido galletas. Al entrar en la residencia, la administrativa seca de la noche se quitó unos segundos la máscara de reptil –concretamente, la dejó en el mostrador con toda naturalidad– para preguntarme si ya lo tenía todo preparado y para entregarme un paquete.

–¿A qué hora lo han traído?

–No lo sé, estaba aquí cuando llegué.

Me sobresaltó y no esperé a ir a la habitación para abrirlo. La señora lagartija parecía estar tan a la expectativa como yo. Me alejé unos pasos para que no viera lo que desenvolvía. Era un libro: *Ficciones*. Le di las buenas noches con un nudo en la garganta y los ojos a punto de desbordarse. En la habitación lloriqueé de cansancio. En el libro solo había una inscripción: «*Promenades parisiennes et autres textes*». Y la fecha. Tardé en dormirme. Al día siguiente cogía el avión.

En cuanto llegué, me puse a trabajar como una loca, con un desasosiego muy cercano a las *«promenades parisiennes»*, aunque pretendía lo contrario. Comprimí lo que me quedaba de la carrera para terminarla en un año y me coloqué de administrativa a media jornada, un puesto más estable que los apaños que había tenido hasta entonces. Trabajar a tope y hacer equilibrios entre mil frentes abiertos fue la manera de echar una palada de portland al trompazo parisino. Desde luego, rozaba un tanto el melodrama, pero en ese momento no supe vivirlo de otra forma más que notando la onda expansiva del trompazo. Aquí, pensaba yo, debe de radicar la diferencia entre ser de familia bien o no, entre los potentados y los demás: acusar la intemperie o no acusarla; permitirse un trompazo o tener que encajar la culpa. Era como si esta obsesión por no parar se debiera a una voluntad de deshacerme de mandangas y cambiarlas por una piel nueva. Ya descubriría más adelante si se trataba de distanciarme de la realidad o de un cambio para adaptarme mejor, como cambian los camaleones de color según el sitio en el que se encuentren.

A ratos, esta actitud de refugiarme en la ocupación febril me parecía semejante a la de mi padre, tan obcecado siempre por tirar del carro a todas horas y no parar nunca. Solo me faltaba empezar a mitificar el pasado para ponerle la guinda al pastel. Y el parecido con mi padre ya sería alarmante. A veces me pregunto si no habrá un duendecillo travieso que nos acerca, sin ser conscientes, a lo que habíamos dicho que dejábamos atrás. Me acuerdo del cuadro de cables eléctricos que montábamos en casa para sacarle un pellizco a la economía sumergida. Parece que es más fácil saber la dirección y la función exacta de todos esos cables que las de los cables internos que nos mueven. Y todavía me pregunto si el hilo amarillo que siempre quedaba más aplastado, como colgado, tenía algún sentido o no era más que otro descuido del sistema.

La bola rellena de vacío y de angustia me duró unos cuantos meses. Por la mañana cogía el autobús que paraba debajo de la autopista para ir al polígono de la Ciudad de al Lado, donde me pasaba unas horas rellenando albaranes de entradas y salidas de mercancía. La empresa se encontraba en la avenida de baches imposibles de sortear que había recorrido de pequeña con mi madre, cuando me llevaba a gimnasia, cuando todavía no sabía que la gimnasia no termina nunca.

Todos los días veía salir a los obreros con el mono corporativo, con las legañas de haber pasado la noche trabajando y por efecto del sol de la mañana. Alguno podía haber sido mi padre, que trabajó muchos años en el turno de noche en otro polígono. Para una persona como él, acostumbrada a andar por el campo, tener que pasar noches de encierro en una cadena de montaje debía de ser lo más parecido a enjaular a un pájaro del bosque.

Algunos obreros apuraban el último cigarrillo del día, o el primero, según cómo se mire; otros gastaban bromas dejándose llevar por la euforia del final de la jornada. Y otros esperaban el autobús en silencio, resignados a pasar el día con la misma flema: esperando que terminara el turno, que parara el autobús, poder llegar a fin de mes, que llegara el fin de semana, las vacaciones y la paga doble, Navidad y después, Semana Santa, que llegaran los hijos y el coche nuevo, el móvil de última generación y la pantalla plana... Y yo, que jamás había creído que esa rueda tuviera nada que ver conmigo, también estaba esperando. Y me arrimaba a todas las llegadas que plausiblemente pudiera esperar.

Esperaba que se me pasara el decaimiento, notar que la mochila que llevaba todo el día –por la mañana, para ir al trabajo; por la tarde, para terminar la carrera; por la noche, para levantarme puntual al día siguiente– ya no estaba cargada de piedras. Una piedra de más la dispuso mi padre, como a lo tonto, según su costumbre. Si estaba inspirado, era capaz de hundir a un muerto. Tal vez eso era parte de su espíritu de contradicción. Y quién sabe si del mío también. Nunca se sabe.

Una vez fuimos juntos al pueblo, hacía poco que había vuelto yo, y nos encontramos con un conocido que lo interpeló animosamente:

–Estarás contento, ¿no?, ahora que ha vuelto tu hija...

Su respuesta no pudo ser más calamitosa:

–Sí, ya ves... –contestó con una mueca que parecía querer decir lo contrario–. No le ha gustado mucho. Todo eso es muy grande, hombre. No sé qué se le había perdido allí. Total, para ir a pasarlo mal, ya me dirás. Pero, en fin, ahora ya lo sabe...

Le habría machacado la cabeza. Roja como un tomate de pura rabia, allí lo dejé predicando para escaparme un momento a la papelería.

Cuando volví, estaba charlando con un viejo del pueblo, un antiguo campesino, el de Casa Badoret.

–No es por nada, pero este año hemos tenido muchas patatas. Y buenas. Entre mi chico y yo las arrancamos en un pispás. A cuatro manos, fue coser y cantar. Parece que no pero entre dos cunde mucho el trabajo. Hace ya bastante que solo planto las kennebec. ¡Y qué buenas salen! –detallaba él.

El de los Badoret recordó las patatas que plantaba antes su familia. «¡Hace mucho de eso!» Eran patatas del bufet, una variedad autóctona que había cultivado mi padre –y supongo que mi abuelo y mi bisabuelo– antes de cambiarlas por las kennebec, que eran mucho más productivas; las habían creado en los Estados Unidos y se habían extendido rápidamente por todo el mundo. Nada más pronunciar las palabras mágicas –«¡Hace mucho de eso!»–, mi padre apretó el botón del *play* de la consabida retórica de alabanza de los tiempos pasados, que siempre, indefectiblemente, no se sabe cómo, eran mejores que los presentes.

–No se puede comparar con lo de ahora, dónde va a parar. La gente ya no sabe ni lo que come, y además les da igual. Se ha avanzado en muchas cosas, pero en otras vamos para atrás. No tiene nada que ver. Las mujeres de ahora, por ejemplo, estas jóvenes... No hay ni una que sepa cocinar. Claro que, cuando no saben qué hacer, enseguida piden una pizza, que seguro que no sabe a nada. ¡Bah! A mí me daría asco comer eso.

Ese «¡bah!» que le dijo al de Casa Badoret es el mismo que me decía a mí cuando me calentaba una pizza. Las primeras veces que comí pizza en casa fue como un acto contracultural. Lo cierto es que mi padre no entendía ni jota de cocina ni de buenos hábitos alimentarios. Lo único que sabía hacer era carne a la brasa (buen género, eso sí). Los sábados, de pequeños, teníamos la costumbre de desayunar costillitas de cordero y butifarra, y el ceremonial de hacer fuego con ramitas secas tenía su toque festivo.

Mi padre se extendió en el panegírico delante del de Casa Badoret:

–Y esta moza –refiriéndose a mí–, a saber lo que habrá comido allí en París, con la de forasteros que hay.

Y pensé que mi padre se merecía que me metiera droga dura y que fuera una bala perdida, irrecuperable. Pero siempre me ha dado muy mal rollo perder la conciencia. Supongo que era por lo de mi abuela, que se le hacía oscuro. Y después pensé que mi madre no se lo merecía. Y al final, entre una cosa y otra, nunca me metí droga dura. Opté por quedarme con el efecto sanador de ir de culo: terminar la carrera, aislarme de todo, hacer como si París no hubiera existido y, cuando volvía el vértigo escaleras del Pompidou, volver a trabajar, decir por ahí que buscaba trabajo para cuando dispusiera de la jornada completa y evitar pinchazos y grietas... Si aparecían, cerrarme un poco más todavía, como el caracol, que cuando lo tocan se encoge y esconde la cabeza y los cuernos.

Terminé Historia del Arte como había empezado, sin ningún plan previsto. Algunas compañeras se colocaron en empresas de gestión cultural, en museos, de becarias de un profesor... Becas precarias de dos duros y gracias. Sin contactos ni apellidos, no sabía por dónde tirar. No fue un proceso fácil. Tenía que ganarme la vida, eso seguro. Por eso empecé por los albaranes con la esperanza de una oportunidad remota, como si esperara el autobús un día festivo en pleno polígono.

Ya no estaba el Hombre de Allá Arriba para recordarme que tenía un talento, que, para encontrarme mejor, podía hacer una bolita con un papel de fumar o que una novena lo cambiaría todo, le daría la vuelta a todo como a un calcetín. El Esquilador ya no podía decirme «¡Hay que ver lo lista que es esta niña!», porque hacía tiempo que mi padre ya no tenía ovejas y le habíamos perdido la pista. Lo cierto es que, si yo tenía alguna virtud, tampoco me acordaba.

Visto desde aquí, fue todo muy rápido. En un año terminé la carrera y en otoño empecé una media jornada circunstancial –una sustitución por baja maternal– en una editorial de libros de texto, en Barcelona, por recomendación de una compañera de la universidad. Siete meses después la media jornada se convirtió en jornada completa y pude dejar los albaranes y el polígono de la Ciudad de al Lado.

El puesto era de comercial y me pasaba el día en Barcelona, dando vueltas por la conurbación. Iba cada dos por tres a visitar colegios e institutos y allí desplegaba el catálogo de *nuestra* oferta pedagógica. Mi misión consistía en venderles la moto y cubrir al final de la jornada una cuota mínima de visitas y de resultados. En esa época no era muy difícil. La empresa me proporcionó un coche –el primero de mi vida– y eso me dio una impresión sesgada de libertad. Era todo muy rudimentario, pero andar por ahí me aireaba y conseguía dejar de darle al coco. Y, con el pretexto de vender material educativo, tuve ocasión de entablar conversaciones que antes eran impensables. Pura supervivencia pragmática, como haría el camaleón si cada día tuviera que presentarse con los trastos en cuatro institutos. Al principio no se me daba muy bien, pero enseguida adquirí cierta facilidad para escanear la psicología del prójimo y encontrar las posibles entradas para colocar lo que tuviera que colocar, lo que no sabían que necesitaban, por decirlo como la publicidad engañabobos.

Me familiaricé con la conducción por Barcelona y alrededores, cosa que no tardó en cubrirse de una pátina de experiencia viajera que me permitió transitar por diferentes cinturones geográficos y anímicos y, entre parada y parada, purgar culpas latentes. Tanto tiempo viviendo al lado de un cementerio y nunca se me había ocurrido pensar en el purgatorio.

Me cambió la manera de ver Barcelona. Comparada con la megápolis parisina, me parecía de pronto una ciudad pequeñita, un pueblo en realidad. Esto fue el primer alivio. Y, de paso, los viajes en coche me ayudaron a entenderla, a sobrepasar por fin la barrera del centro y de las rutas universitarias, que era lo único que había pisado hasta entonces. Aunque el motivo no fuera el simple correlato de las dimensiones, me di cuenta de que tal vez una parte de sus habitantes –al menos los que había tratado yo hasta entonces– también eran provincianos y que quizá fueran tan de pueblo como yo, o más, precisamente porque no eran conscientes de serlo. Porque prácticamente no conocían nada más allá del metro cuadrado de baldosas del Eixample o de su barrio, elevado a la categoría de centro de la Tierra: elevado a esa categoría por ellos mismos, todo es cuestión de perspectiva. ¿Qué sabían ellos de los barrios de las afueras de Barcelona en los que yo vendía libros ni de las afueras de la Ciudad de al Lado que había cruzado de pequeña?

Empecé a sentir una especie de solidaridad con esos barrios más recónditos: el mío, los de muchas Ciudades de al Lado, los de Barcelona y los de más allá. La palabra está tan gastada que parece cursi, pero diría que experimenté una solidaridad auténtica, encarnada en una imagen que me atraía; siempre me fijaba en ella cuando iba de un lado a otro en coche: los de debajo de la autopista y los que estaban junto a ella.

Empecé a entender que no era cuestión de medidas, sino de ambientes que se huelen o no se huelen, como mi pajuela de la Casa Vieja. Y que la excitación que me habían producido los escenarios nocturnos del centro de la ciudad era solo circunstancial, para mí y para la pandilla barcelonesa con la que los compartí, la autosugestión explicada a partir de la edad y de la ingenuidad que paseábamos. La edad de imaginar que saliendo por el Raval éramos cosmopolitas. La edad de creernos el ombligo del mundo.

Debido a las frecuentes visitas a escuelas e institutos para ofrecer un montón de material asociado a los libros de texto (¡parecía yo una feria de gangas!), inicié relaciones con algunos profesores. Algunos eran muy poco mayores que yo. Las editoriales como la mía hacían auténticas subastas y ofrecían toda clase de regalos al profesorado para que mordieran el anzuelo y compraran sus productos. Eran una mercancía más. Este campo tampoco se salvaba.

Con la crisis, todo esto sufrió un bajón rápidamente; se impusieron los ajustes y la alarma por cómo colocar los libros, que cada vez se reutilizaban más y se sustituían por herramientas tecnológicas. Como de costumbre, pusieron todas sus esperanzas en la enésima reforma del sistema educativo, que presentarían como la más incontestable y necesaria de todas las reformas y permitiría volver a poner en marcha la rueda de los libros de texto y la de la comedia pedagógica. La disfrazarían de impulso trascendente al sistema cuando en realidad no era más que ponerle remiendos puramente estéticos. Pero eso no era cosa mía. Bastante tenía yo con colocar libros y presentar cuentas positivas y, con un poco de suerte, ganarme algún extra que me ayudara a cobrar un sueldo decente. Y «a los carlistas que los mate Dios», como decían en casa.

En la visita a un instituto de Nou Barris conocí a un

profesor de economía con el que alargamos cafés y después cervezas y después una cena y otros encuentros que desembocarían en lo que suelen desembocar estas cosas. Todo muy como tenía que ser. Sí, de acuerdo, vuelvo a poner voz de manual de lavadora, pero es que no me lo puedo explicar de otra manera; y también puede una enamorarse poniendo voz de manual de lavadora (la verdad es que hay quien se enamora de un móvil o de un altavoz inteligente y ¡nadie se queja!). El caso es que el carácter metódico y preciso de Simó fue como un programa de centrifugado: un zarandeo que me afirmó los pies en la tierra. Como si lo hubiera conocido adrede para curarme del cansancio de las *«promenades parisiennes»*. Simó no era tan fogoso como Ema ni tan abismalmente seductor como Ryan, pero tenía el aplomo de saber las teclas que había que tocar en cada momento.

Yo necesitaba dar todos los pasos de esa rueda. Y con el aplomo y una normalidad pacífica, y con las novedades comedidas, sin pasarse de vertiginosas, y el pragmatismo disfrazado de grandes planes de futuro, seguimos adelante, encajando. Era la cura que esperaba sin saberlo. Y Simó era la pieza que faltaba. Y así todo llegó a cuadrar con una facilidad inusitada y la mecánica propia de la rueda nos llevó a vivir juntos en la calle Arquímedes, en el barrio de Sant Andreu de Barcelona. Ciencia exacta.

Me divertía que todo adquiriera por fin una estructura, una forma ordenada. Ahora sí que empezaba a tener una noción de identidad, creía yo. Seguramente fue otro espejismo. ¿Y qué? Otros más grandes habían caído, pero entretanto servía para tener las manos ocupadas y empujar la rueda y que la molestia fuera pequeña. También hace falta talento –y el don de la obstinación– para que la rueda no se descarrile ni se le vaya a uno de las manos. A lo mejor tengo que explicarle todo esto a Bruna.

Reconozco que me fui con el corazón inexplicablemente encogido de mi deteriorado barrio de al lado de la autopista para ir a vivir en las afueras de Barcelona. Los dos barrios no se parecían en nada. Paradójicamente, al contrario de lo que se podría pensar, Sant Andreu era más pueblo que el mío, que ahora me parecía un islote de fuera del mundo. Cuando volvía, me sorprendía oír el rugido de la autopista que durante años, por la fuerza de la costumbre, solo me había parecido un murmullo.

Uno de los bares de Sant Andreu, al que solíamos ir los sábados a mediodía para tomar el vermut, parecía que quisiera poner su grano de arena en este cosmos que se me iba ordenando, en este nuevo ambiente que iba a respirar. Aparte de los exquisitos boquerones, la principal aportación fue la del dibujo del logotipo. El bar se llamaba El Pardal y a la entrada y en las servilletas lucía un gorrión con estrellitas en los ojos, que parecía ir de lado por culpa de algunas cervezas de más y que se sostenía sobre una sola pata, con la otra en el aire, a punto de desequilibrarse. Esta caricatura nos daba risa, como dan risa las cosas fútiles a las que otorgas un sentido compartido. Era como si el pajarillo me dijera, guiñándome el ojo y saltando sobre la pata buena: «No te preocupes, Mila, que tarde o temprano todos cojeamos de algo y, al fin y al cabo, la cuestión es disimular lo mejor posible.» Simó y yo nos dedicamos a darle la razón al animoso gorrión y disimulamos con toda la alegría posible.

Yo siempre había creído que jamás me hipotecaría, pero lo hice, en plena crisis y en pleno posdesastre hipotecario para comprar el piso de Arquímedes. Era una oportunidad, y Simó tenía un trabajo seguro. Insistió en que había que aprovecharla, que después se hincharían otras burbujas y ya no podríamos comprar nada. Lo cierto es que su sueldo de profesor nos daba cierta holgura. Yo siempre había dicho que ni hablar de casarme, y al final me casé por lo civil porque, oye, con una propiedad, era mejor no arriesgarse. Y quizá todo se redujo a evitar las posibilidades de riesgo, a sellar poco a poco las fugas de lo imprevisto. Una ficción ampliamente aceptada y extendida. Si no, ¿por qué cuando te hipotecas te endiñan un seguro de vida por si te mueres? Tendrían que cambiarle el nombre y, en un ataque de sinceridad, llamarlo seguro de muerte. Así lo entenderíamos todos mucho mejor: un seguro por el que, si sigues con vida, ganan ellos, y si te mueres, sales perdiendo tú. Solo sirve para alimentar el espejismo de una protección, una vitrina más para llenar el vacío. Después de una temporada recorriendo una carretera sin curvas, llegó el momento cumbre de los espejismos, el momento al que algunos se agarran para creer que son mejores personas, más adultas y equilibradas, pero que a otros, íntimamente –y en silencio, como de costumbre–, nos descoloca: pensamos que era el momento de tener un hijo.

Fueron unos años de entrega a la editorial, de no contar las horas extra ni los fines de semana de trabajo. De salir por la noche con los compañeros de la empresa, de aprovechar el sobresueldo que ganaba con los pluses para viajar a ciudades europeas... Una vida regalada, sin mirar el reloj ni el calendario ni los días fértiles..., todavía.

Nunca había creído que tendría a mi lado a una persona de la que pudiera decir «es mi marido», ni que nadie me llamaría «mi mujer». Medio en broma, medio cumpliendo una formalidad, encontraba cierto placer en levantar el telón de este juego de disfraces. Y de paso sulfuraba a mis amigas de la universidad y todos sus tics de camaradería progre. Cuando se coge velocidad, llega un momento en el que las claudicaciones ya no tienen importancia. Para mí, era más poderosa la actitud de afirmar las categorías y su supuesta solidez, hacer como si todo estuviera controlado.

Gracias al trabajo me fue muy fácil conocer a gente nueva. Savia fresca para seguir cruzando cinturones más allá de los trayectos diarios en coche. Estuve una temporada trabajando de comercial específicamente de libros de texto en inglés. La empresa había llegado a un acuerdo de colaboración con una editorial especializada en este sector y nosotros les echábamos una mano para colocar los libros en los colegios e institutos, lo cual me permitió viajar un poco más, incluso a Londres, la ciudad que quise y defendí por encima de París, como si fuera una competición..., pero una competición que solo tenía lugar en mi cabeza.

A veces hacíamos reuniones y fiestas con colaboradores de otras partes del Estado, y también con ingleses. En los tiempos de vacas gordas, era habitual que la empresa alquilara un hotel por Navidad y allí nos encerrábamos durante tres días. Se suponía que por la mañana hacíamos trabajo de conciencia de grupo, de aprendizaje de tendencias y consignas empresariales para dar y tomar y blablablá, y por la tarde y por la noche, un poco de vínculos sociales y conocimiento mutuo. Pero en vez de estos conceptos tan elevados, la cosa se resumía en dos ideas esenciales: fiesta y desmadre.

Todos los años alguien se liaba con alguien y algún jefe nos regalaba la estampa de ir completamente pasado de rosca, tirando los tejos a cualquier mujer que se moviera, porque parecía que nadie podía desestimar su papel de siempre, y menos un jefe poderoso dispuesto a enarbolar la vara de mando también en el terreno sexual. Algunos agarraban unas vomitonas de escándalo y se arrastraban inesperadamente hasta su habitación, y siempre había algún ligue que pasaba desapercibido, trascendía tiempo después y alimentaba conversaciones junto a la máquina de café. Lo cierto es que encerrarse en una habitación de hotel y escabullirse de puntillas es una operación suficientemente plausible para no airearla a los cuatro vientos. Algunos compañeros alardeaban de sus conquistas. Y es de justicia decir «compañeros» en masculino, porque las mujeres, por el contrario, generalmente preferían ser discretas. Aquí el punto de vista de espectadora es premeditado.

La plena dedicación a la empresa coincidió con una disminución en la frecuencia de los encuentros con mis amigas de la universidad. No fue intencionado. Todo el mundo se deshace como puede del nudo áspero del final de la inocencia, un nudo que, si no andas con ojo, te agarrota las manos. Cada una tiró por su lado y la admiración y la sorpresa que me ligaba a ellas se fue diluyendo con la misma franqueza que un terrón de azúcar en el café, y no pides otro porque te empalagaría.

Como es lógico, el proceso de deshacerme del nudo de la candidez tuvo sus vaivenes. Al volver de París, cuando París todavía me escocía, me sorprendió que no pasara nada (en general nunca pasa nada, te das cuenta de mayor, a menos que se trate de un cataclismo de los que entran en la escala de Richter). Y como no pasaba nada y el vacío me resonaba solo a mí, la actitud soñadora de las amigas de la universidad, que tanto me había entretenido, se convirtió en un tufo cargante; o la seguridad que tanto les había envidiado me empezó a parecer un disfraz traslúcido. Después, cuando Simó y yo nos hipotecamos, se inventaron unas cuantas lecciones de idealismo.

Cuando mi padre hacía una palada de portland doméstico para tapar los agujeros que salían en el tendal o para renovar el cemento del interior de un establo, después pasaba el nivel: un artilugio alargado con un líquido en el centro y una bola dentro, que servía para comprobar si el suelo estaba perfectamente plano. Si con este utensilio pudiera medir cómo miraba a los demás, me habría dado cuenta de que en la época de la universidad –con París en la cima– la bolita se habría ido a un extremo. Y yo al otro. Pero después de mucho tiempo de tener que mirar hacia arriba, me había ido nivelando progresivamente; poco a poco, la bolita se situó en el centro y yo miraba a los demás de tú a tú.

Y seguramente debido a algún mecanismo de combustión interna (incinerar la rabia o la vergüenza, o las dos cosas a la vez), tuve que destilar cierto desprecio contra las que antes veía tan arriba. El desprecio del desclasamiento. Hacía picadillo sus incoherencias. Las salpicaduras de estas catilinarias se quedaban en casa y solían ser así (hago el ejercicio para enseñarme la bilis que tenía):

«¿Cómo pueden creer que solo por hipotecarnos estamos a favor del sistema que hay que derribar? ¿A qué sistema se refieren? ¿Al suyo? Parece que a la que ha estudiado Filosofía para salvar el mundo y alcanzar la felicidad suprema, todo de golpe, el mundo no se lo ha agradecido bastante. Ya ha cambiado cinco veces de piso de alquiler, y cuatro de pareja, siempre en el Raval y pagando sus padres. Cada piso y cada pareja son la aventura más divina. Dice que sus padres la han ayudado con el depósito y que ya se lo devolverá. Pero ¡si yo no le he pedido explicaciones!

»Siempre pasa por alto un detalle significativo: no todos venimos de la misma cuna, y esta circunstancia, que en ningún caso implica ser mejor o peor persona, sí que comporta unos condicionantes y unos privilegios. No admitirlo –sin culpas ni lecciones– y pretender ocultarlo, como si las cosas cayeran del cielo, me parece una doble moral tan monstruosa como todo eso contra lo que dice que lucha. Pero la fachada es el gran elemento arquitectónico del siglo XXI, a la que se tributan todos los esfuerzos y peajes, y la filósofa tiene que dejar claro que es más comprometido cambiar de piso cada dos por tres que intentar comprarlo reuniendo unos ahorrillos y sumando una hipoteca porque tus padres no pueden ayudarte. Es una fachada de idealismo que sermonea a los demás sobre lo que tienen que comer y lo que tienen que pensar, sobre cómo deben vivir y follar, como encíclicas dominicales, talmente. ¿Por qué voy a hacer caso del falso igualitarismo que pregona, cuando en realidad proviene de un clasismo camuflado y mal aceptado? ¿Por qué viene a iluminarme con caprichos de lenguaje vacío y ajustado a la moda biempensante de izquierdas?»

Simó solía escucharme en actitud beatífica de agave que no se cimbrea.

«Y la otra amiga, la seductora, la que opta por una pareja estable y toda una escenografía paralela de amantes. Un montaje planeado del que disfruta sobre todo contando los detalles: excusas para encubrir un encuentro o justificar un retraso por la noche; los sitios del sexo furtivo; la clase de actividad sexual que le ofrecen algunos hombres o algunas mujeres con los que se cita. A todos los atrae con la misma telaraña que teje de evasión no declarada y con una ingenuidad pueril que le permite no levantar sospechas. Seguro que eso es lo que más la pone. Esta señora araña arrugaba la nariz por la hipoteca hasta que se compró un piso ella también. A los desmemoriados nunca les tortura la conciencia.»

Por suerte ya han pasado los tiempos de arrebatos de niña enfadada, que debían de ser la estela de París. Ya no hay ganas de venganza. Lo único que considero cierto es que ellas, como muchos otros, nunca han sabido –en el sentido de entender de verdad, no de oído– que existían padres como el mío y que no es necesario ir a buscarlos al lugar más recóndito y oscuro, ni hay que hacer de ello un trauma sideral ni inventarse subterfugios de psicología de autoayuda porque, al fin y al cabo, tampoco se acaba el mundo.

Y en cuanto a la amiga de los kibutzs, por cierto, siempre lamenté que desapareciera tan pronto. Mandaba mensajes de vez en cuando desde algún rincón del mundo, hasta que las comunicaciones se escalonaron. En mi recuerdo –amplificado o no– quedó como la amiga que se atrevió de verdad, la que cruzó la barrera de la convención, quizá porque precisamente provenía –aunque a primera vista no lo pareciera– de un terreno fértil y poco ortodoxo.

Los nuevos perfiles que conocí en el trabajo contribuyeron a compensar la bolita del nivel. Llegué a tener mucha confianza con algunos. Las visitas a los institutos me afinaron el sentido del ritmo de la conversación. En un momento u otro, siempre les preguntaba por sus padres y por la infancia que habían tenido, en definitiva, por el mundo del que provenían. Mi extrañeza deambulaba en busca de alguna señal, de algún gemelo o algún contrario que aclarase el panorama. Y tengo que reconocer que, cuando la encontraba, me procuraba un placer semejante al de un cirujano ante un corte quirúrgico limpio y preciso. Un peldaño más en la adaptación al medio, el camaleón sacando la lengua.

June y yo nos contamos nuestra vida y milagros una noche al salir del trabajo. Era final de curso, una época de mucha actividad porque teníamos que dejar vistos y aprobados los libros para septiembre. Hacía una primavera caliente y el aroma de las glicinas del patio central de la manzana al que daba la oficina –un aroma no empalagoso sino sugerente– nos desveló y nos animamos a tomar un trago.

June hablaba por los codos. Era una de las personas más sociables de la editorial y a menudo buscaba a alguien que le riera las gracias. A mí no me molestaba, al contrario que a los demás, porque sus salidas teatrales y sus aspavientos inesperados me resultaban divertidos.

Le encantaba comportarse como una vedette exagerada y coqueta, flirteaba siempre con un punto rocambolesco que se acercaba por igual a la comicidad y al drama de una diva. Sus facciones –boca, nariz, ojos– tendían a la hipérbole. Parecía que se le fueran a descoyuntar en cualquier momento. Y le gustaba acentuarlas con pintura en abundancia.

Aquella noche empezó a enseñarme con toda naturalidad fotografías de tíos que le habían tirado los tejos en webs para ligar. Todavía no se había inventado Tinder y ella saltaba de una web a otra y se tronchaba de risa recordando anécdotas relacionadas con las imágenes, que parecían un catálogo. June tenía un cargo de dirección en la editorial y viajaba más a menudo que nadie. Alguien la esperaba siempre en cada puerto. Era como si se colgara de una liana, después de otra o de otra, sin necesidad de compromisos –más bien los rehuía–, pero buscando un aprecio y un calorcito humano que fueran un poco de verdad, aunque parecieran pasajeros y temerarios. Se relacionaba mejor con lo provisional que con el arraigo, es decir, parecía estar hecha para vivir con total comodidad en el siglo XXI. Pero las personas somos algo más que un cuadro eléctrico. Y ella, más lista de lo que se podía inferir de la frescura con la que se presentaba en sociedad.

–¿Por qué te pusieron ese nombre?

–Es el peaje de tener unos padres hippies. Me habría encantado llamarme Ana o María, por ejemplo.

Soltó una carcajada atolondrada, con la misma sonoridad que aplicaba a todo lo demás, abriendo mucho los ojos para agrandar las palabras.

–Debe de ser muy divertido tener unos padres hippies, ¿no? Supongo que será ir siempre de un lado a otro y una vida social muy intensa...

–Fueron unos padres inexistentes –me cortó en seco–. Mientras celebraban sus fiestas, a mi hermano y a mí nos encerraban en la habitación. De vez en cuando venía un amigo y nos hacía unas carantoñas. O una pareja nos llevaba a otra habitación porque necesitaban ellos la nuestra.

–¡Ah, vaya...! –musité por musitar algo, saboreando el resultado de haber hecho la pregunta justa.

–Nunca comíamos juntos. Siempre había mucha gente en casa. O íbamos siempre a algún sitio. Sí, nos bañábamos en la playa en pelotas desde pequeños y enseguida empezamos a tocarnos con los hijos de otros hippies... Y tuvimos libertad para fumar y beber y nos llevaron a Ámsterdam, a Berlín, a Nápoles... Siempre había alguien conocido... ¿Y qué? Parecía una fiesta que nunca terminaba, como si no pudiéramos parar nunca... Un mareo inacabable. Qué hartazgo.

–Pero viajasteis, conocisteis mundo...

–Siempre estábamos rodeados de gente. Una juerga constante. Solo tenía premio el que llamaba la atención, el que hacía más payasadas para seducir a quien fuera. ¿Por qué crees que hago yoga?

No dije nada más. Me di cuenta de que June tampoco tenía ganas de seguir. Había ido mucho más allá del límite que le imponía su armadura de frivolidad para ir por la vida.

–Ese no está nada mal, ¿verdad? –me pinchó, refiriéndose a un chico diez años más joven que ella. Últimamente hacía incursiones entre los yogurines, como los llamaba ella–. Aunque, ahora que me fijo, a lo mejor la cara es un poco infantil. Demasiado imberbe.

–Puede, pero parece interesante...

–Me gustan más si son un poco dejados. Debe de ser por los hombres que he tenido siempre alrededor.

–¿Tu hermano también lleva barba?

–¡Huy, no! Él siempre reaccionó en contra de todo aquello. Empezó a trabajar enseguida, se puso americana y corbata y no se las ha vuelto a quitar. El pelo cortito y perfectamente afeitado. Ahora trabaja en una multinacional. Viaja mucho y tiene dos niñas preciosas.

–¿Y vuestro padre...?

–¿Mi padre? Greñas, barba de Robinson Crusoe, pantalones holgados, todo le quedaba enorme... Parecía un espantapájaros. Mira ese otro. Tiene su gracia, tan pelirrojo. Tengo que buscar a alguien para cuando vaya a Londres. A este viaje vas tú también, ¿no?

–Sí, creo que sí.

–Nos lo podemos pasar teta.

Había dejado de mirar el catálogo masculino de June. Me daba pereza. Me dije que tenía mucho sentido que viviera pendiente de esos muestrarios de ganado. Y que no podía ni quería juzgarla. Todo el mundo busca imperiosamente que lo quieran. Me dije que había cosas peores que salir de un mundo que te parece raquítico. Tal vez una de ellas sea habitar en un mundo sin lógica ni sentido en el que nunca se sabe el lugar ni la hora a la que sale el sol o se pone, en el que ni siquiera se tiene el asidero del balido de la oveja o del papel de fumar del Hombre de Allá Arriba (un asidero manufacturado, desde luego).

–Después de Londres voy a Sevilla y a Madrid. Ya ves lo liada que voy a estar buscando citas... ¡Tengo que planearlo bien! –Y estalló en otra carcajada mientras marcaba en la pantalla el perfil de hombres con barba.

Más tarde aterrizó en la editorial Sara Miralpeix Becher. Unos apellidos tan sonoros obligaban a decirlos enteros. Tanto es así que entre los compañeros la llamaban «la Miralpeix Becher». Sobre todo al principio. Su padre y su madre tenían despacho propio de psicoanalistas en Barcelona. La madre era argentina. El padre, hijo de un linaje de médicos de rancio abolengo.

La Miralpeix Becher enseguida me llamó la atención. Se movía de una forma refinada, propia de una persona a la que le han enseñado muy bien el significado y el sentido de elegir los movimientos. Pero en cuanto abría la boca cambiaba todo. Era tirando a seca, a veces incluso de modales francamente ariscos, y tenía una obsesión un tanto peculiar por la precisión del lenguaje.

Al principio no nos entendimos muy bien. Yo le gastaba una broma a bocajarro para disipar la distancia y ella se la tomaba al revés o me miraba como si fuera una frívola sin sustancia. Y entonces me obligaba a puntualizar el sentido de lo que quería decir con la broma. Me obligaba a justificarme y la conversación se atascaba en un trabalenguas sin rumbo. Hablar con ella era batirse en un duelo muy exigente sobre el verdadero valor de cada palabra.

Había entrado con un cargo importante en el área que se ocupaba de revisar el contenido de los libros, casi siempre un intrincado lodazal en el que tenía que estar pendiente de solucionar quejas políticas o puritanas. Un colegio privado que no quería que saliera Michael Jackson en el libro de inglés, otra del Opus que vetaba cuerpos desnudos para enseñar anatomía humana o que imponía una definición ultrarrestrictiva –ultra, sin paliativos– de las relaciones sexuales... Precisamente hablamos un buen rato un día en el que necesitaba desahogarse, y así se abrió una brecha. En los desahogos suele haber momentos vibrantes: primero se tira del hilo hasta devanar todo el ovillo y se olvida lo que lo inició, lo que parecía un laberinto sin salida; en virtud de la velocidad que se acumula en la operación de devanar, afloran hilos de otros colores, de los que se tira con mayor alegría incluso. Y eso fue lo que le pasó a la Miralpeix Becher.

–Estoy harta de tanta queja moral, de tanta represión... ¿Cómo va a funcionar bien una sociedad así, escondiendo todo lo que se debe enseñar, si todo es tabú pero actúa como si no lo fuera? –dijo, indignada.

Tuve que pensar dos veces la respuesta. Y al final me las ingenié con una pequeña astracanada. Había que reventar el rebaño de agravios:

–¿Y qué esperabas? La sociedad camina hacia la autodestrucción. No sé dónde vamos a ir a parar, pero vamos a toda leche.

–¡Exacto! –se alegró ella, y yo respiré aliviada. La fisura se abrió un poco más. Frase corta y contundente. Nada de florituras–. El quid está en la autodestrucción. ¿Qué sacan de esconder y borrar de los libros de texto todo lo que les resulta problemático? Solo sirve para simplificar la sociedad, para negar la complejidad que esos chicos van a tener que afrontar de mayores...

–Simplificarlo todo y al mismo tiempo agrandar las dificultades –puntualicé otra vez. Seguíamos por el buen camino.

–Exacto. Mi padre lo ha estudiado a fondo en una serie de teorías en torno a las conexiones mentales que establecemos. Son enlaces que solo aumentan si los alimentamos, si reciben corriente eléctrica... Existe un generador de relaciones que empieza por abrir el campo de visión, las posibilidades, los planteamientos de la vida...

En ese momento desconecté un poco porque me parecía que la Miralpeix Becher se perdía en obviedades. Ella hablaba de corriente eléctrica en el cerebro y yo sabía, por mis antepasados, que puede haber pistas que se quedan obturadas al paso de la luz décadas enteras. Dejé que siguiera hasta que, en un momento determinado, se me ocurrió otra frase-lema para cerrar el capítulo.

–Al final, es como ahogarse en el propio vómito.

Y ella me miró, sobresaltada por el resumen.

–Buena idea... –Hizo unos segundos de pausa–. Es curioso que tú y yo no hayamos hablado mucho hasta ahora.

Disimulé una sonrisa victoriosa.

–Entonces, ¿dices que tu padre es psicoanalista? Sería curioso, ¿no?

–No creas. Que tu padre y tu madre sean psicoanalistas puede ser una pesadez.

«¡Bingo!», canté para mis adentros. Empezaba a pisar el terreno que quería.

–¿Eran psicoanalistas los dos? –dije, como distraída, como si pasara por allí casualmente.

–Sí, y además se separaron.

–¡Ah, vaya! ¿Muy pronto?

–Yo tenía dieciséis años.

–Bueno, entonces ya era bastante frecuente, ¿no? –para quitarle hierro al asunto y que no se atascara.

–Para mí fue un trauma en esa época. Los dieciséis años. No sabía qué hacer. Parecía que los dos estuvieran psicoanalizándose todo el tiempo, y a mí también, obsesivamente. No te imaginas lo asfixiante que puede llegar a ser.

–Pero... –me paré sabiendo que podía tirar del hilo indefinidamente o mandarlo todo a hacer puñetas–. Pero al final, encontrar explicaciones para las cosas, para una misma, es muy necesario. Quiero decir que ayuda, que está bien... No sé cómo decirlo...

–Una cosa son las explicaciones, porque todo el mundo quiere saber quién es, de dónde viene, de qué está hecho, por dónde va... –Me pareció que el ovillo volvía a rodar y que, además, se acortaban las distancias y Sara me hablaba al oído. Hablaba de sí misma y de mí–. A mí siempre me han hecho gracia mis apellidos, uno catalán y otro argentino... Muy auténticos los dos, y me he preguntado por la historia de cada rama de la familia y por cómo se habían encontrado.

Pensé que yo no tenía ni idea de cómo se habían encontrado mi padre y mi madre, pero estaba claro que era mejor seguir callada y no estropear el tono confidencial que iba adquiriendo la conversación.

–Lo cierto es que hay muchas anécdotas divertidas de los Miralpeix y de los Becher. Pero no estábamos hablando de eso.

¡Qué hábil era para reconducir el argumentario!

–Me lo imagino. Yo también he recogido las de mi familia.

–Cuando te encuentras con dos cerebros como los de

mi padre y mi madre, que tienen que desentrañarlo todo, que todo tiene un significado, que para ellos todo tiene una correlación, que si haces esto o dices lo otro, que por qué lo dices, qué sentido le das... Dos padres que te corrigen, que te obligan antes de tiempo a adquirir una conciencia de cosas que no necesitas tan temprano... En fin, que entre unas cosas y otras pueden reducirte a muy poca cosa.

–¿Y fue peor cuando se separaron?

–¡Uf! Era un intercambio constante de pullas entre ellos, y yo en medio, como si fuera el receptáculo de todas las argucias discursivas contra el otro. Como si fuera una competición para demostrar quién ganaba por KO en cuestión de análisis, de verle las entrañas a todo y de seguir siendo el más equilibrado. Era una locura, la verdad.

–¿Por eso eliges las palabras con tanto cuidado?

La pregunta la sorprendió. Pero no podía pasar la oportunidad por alto. En las conversaciones anteriores, las fallidas, había aguantado estoicamente su exigencia dialéctica y ahora me había revelado un poco.

–Hombre, supongo que las elijo como todos, ¿no? –balbució, dudando por primera vez..., dudando al fin–. De acuerdo, supongo que un poco sí, que debe de ser por eso en cierto modo. –Captó mi sonrisa sardónica–. Ten en cuenta que mis padres me obligaban a contarles mis sentimientos, sensaciones, sueños y demás desde muy pequeña... Y se los tenía que contar bien, no valía irse por las ramas. Me impusieron una especie de racionalidad enfermiza. Si decía una palabra en vez de otra, algo que se salía del tema, me corregían, me replicaban y tenía que volver a empezar...

–Tal como lo cuentas, parece una tortura...

–Algunos días sí, lo era de verdad.

–Alguna ventaja tendría que tus padres fueran..., no sé..., unos profesionales de tanto nivel.

Lo que yo intentaba era dar una vuelta a las confidencias porque ese sufrimiento escondido me desconcertaba.

–Sí, claro, al final procuraban quererme todo lo que podían, a su manera..., supongo... Cada cual hace lo que puede. Siempre es así.

Se me estaba desmontando la seguridad de hija de papá que le había atribuido y que había hecho extensiva desde hacía años a todos los hijos de familias bien con padres de profesiones liberales.

–Bueno, ellos estaban enamorados de su trabajo y me parece muy bien. Pero es cierto que en muchos momentos no dejaban espacio para nada más. Todo se explicaba a partir del psicoanálisis, de los casos clínicos a los que atendían, de la gente a la que recibían... Imagínate, comidas enteras hablando de tal o cual cuadro clínico, del último estudio que habían leído...

–¿Y tú qué decías? O sea..., ¿cómo intervenías?

–Si decía algo, me convertía inmediatamente en objeto de estudio. Uno más de su psicoanálisis. Y les servía de modelo para seguir elucubrando...

Y me acordé de las comidas en casa, cuando hablábamos del piso de los abuelos que había que vaciar, de qué hacer con la pierna ortopédica del abuelo, de los papeles que habían salido a relucir... Y de pronto le tomé un aprecio enorme a la pierna ortopédica y a las conversaciones insulsas, sin pretensiones, y a las complicaciones ingenuas, y a las formas sencillas de ver el mundo. Y me pasaron por la cabeza, en modo acelerado y desparramado, las ovejas y las cabras, el mirador de la autopista y los campos, la maleta de la tía soltera y la abuela a la que se le hacía oscuro, el mercado del domingo y la montaña de lana, las sentencias simples de mi padre y las salvaguardas de mi madre; todos estos elementos desfilaron atropellándose unos a otros; y sentí que los quería. De la forma en que se quieren las cosas contrahechas que no están pensadas para quererlas, pero que han tenido un significado vivo para uno mismo. Y las vi como un cielo raso sin contaminación lumínica, mientras el cielo raso de la personalidad de Sara se caía poco a poco. Se caía su falso techo y detrás se veía todo el conglomerado de cables que justificaba esa sequedad que yo no había sabido interpretar. Y pasaron saludándome mis amores particulares, con el Hombre de Allá Arriba y el Esquilador a la cabeza.

Las paredes que me parecían de cristal –las mías– dejaron de serlo y lo que me parecía un tejado robusto –los padres avanzados de los demás– se transformó en un amasijo. O a lo mejor lo único que pasa es que nunca dejamos de ser criaturas, criaturas heridas. ¿La diferencia? Unos pasean una herida más evidente que otros.

–Mi compañero se queda hecho polvo cuando oye las conversaciones con mi padre o con mi madre. «¡Qué normalita has salido tú, Sara!», me dice.

–Al final, eso de la normalidad... ¡está sobrevalorado!

Y nos echamos a reír las dos. La complicidad con las debilidades ajenas escampa las propias. No es morbo, es una forma de alejarse de las creencias falsas que todavía no sabes que lo son. Mucho después volví a acordarme de la sombra que llevaba a mi lado en el metro de París, la sombra de la extrañeza. Me di cuenta de que también en ella había cambiado algo. ¿Los métodos del camaleón me habían ayudado a domesticarla? Al fin y al cabo, ¿todos estos años no habían sido un proceso para parecer normal? A mí me había servido la transfiguración de las escamas. A Sara, la disección lingüística. A June, cada día un plato diferente en la mesa. Me sorprendía que en ellas dos también interviniera una especie de impostura no resuelta.

Sara y yo decidimos alargar la conversación con un gintónic, ¡qué narices! Mandamos un mensaje a nuestros respectivos diciendo que llegaríamos tarde.

–Pues, fíjate, yo a veces me planteo qué tal lo haré, si alguna vez tenemos hijos. Si estaré encima de ellos todo el día, si los asfixiaré con esta manía por la precisión, por el análisis... Empezamos a pensar en tener uno... Él dice que quiere tres o cuatro, cuantos más, mejor. Esto que quede entre nosotras, ¿eh? No se lo cuentes a nadie de la editorial.

–Claro que no, mujer.

Estaba eufórica porque por fin había conseguido que se abriera la chumbera que hasta entonces me había parecido la Miralpeix Becher, pero ese vuelco imprevisto –ella también quería tener un hijo– fue como un arañazo. Oculté la mueca con un trago de gintónic y procuré desviar la cosa hacia historietas familiares que no dolieran.

Viviendo con Simó, pasó un año y medio desde que dejé de tomar las pastillas anticonceptivas hasta la visita al ginecólogo. No habíamos conseguido que me quedara embarazada y se suponía que la visita era preceptiva para buscar una solución. Son cosas que, por lo general, la gente no se cuenta. Se pasan en silencio, en el tenso silencio de no saber si uno de los dos tiene que asumir algo semejante a una culpa.

Tuvimos que someternos –sobre todo yo– al periplo de una serie de pruebas, como si en el fondo los médicos tuvieran una necesidad especial de encontrarme algo malo. Análisis de sangre, ecografía, vistazo a las trompas de Falopio para asegurar que todos los conductos estaban limpios.

Ahora que llevo cuatro meses de embarazo lo veo de otra manera. La revolución hormonal ha adelgazado el rastro que dejan en la memoria los intentos fallidos, las visitas al médico, la paciencia con las condiciones, las horas y la espera de las pruebas... Pero lo que no se me olvida es el dolor de la prueba de las trompas de Falopio: parecido a un dolor de ovarios de los que te doblan por la mitad. Si esta prueba se la hicieran los hombres, sería como pegarles una patada en los huevos que se los pusiera por encima del corbatín. Puede que de esta forma se lo pensaran más antes de hacerla y no les advertirían con el simple y estúpido mensaje de «a lo mejor te duele un poco». ¿«Un poco», so imbécil?

Por aburrimiento o porque ya no había más protocolos, llegó el día en que me liberaron del secuestro de pruebas y me dijeron que no tenía nada. Y nos confirmaron que no había motivo para que no nos quedáramos embarazados y que, por lo tanto, podíamos ir a un centro de reproducción (te lo largan así, de golpe, todo seguido, como si una cosa llevara a la otra). La circunvalación hospitalaria nos había mareado un poco, así que preferimos darnos un tiempo de margen.

En esta situación te asaltan un montón de dudas. A lo mejor no sirves, a lo mejor no pones suficiente ardor ni lo haces suficientemente bien, si es que existe una guía con instrucciones para echar un polvo con finalidades reproductivas. Nunca me había hecho semejantes preguntas, pero cuando el sexo adquirió una utilidad en forma de objetivo claro –primero con cierto anhelo, sin decirlo en voz muy alta, y después intentándolo por imprescindible–, se transformó en otra cosa. Empezamos a tener en cuenta los días que había que hacerlo –pero, oye, sin preocuparnos, ¿eh?– para *aprovechar* el momento más fértil: estábamos en manos de un aparato ideado expresamente para medir la fecundidad, de si saldría una cara sonriente o enfadada. Solo faltaba que la cara te diera un golpecito en la espalda y te guiñara un ojo: «¡Ánimo, campeones! ¡Adelante!»

Es cierto que el dictamen del médico nos quitó un peso de encima, pero también lanzó la pelota y la colocó en una nueva encrucijada.

Decides tener un hijo sin saber muy bien por qué. Eso

le pasará a todo el mundo, ¿no? La gente no se lo pregunta, ni se lo dice ni reconoce que no lo sabe o que está muerta de miedo, porque quedaría feo. Pero resulta que los tiene... Por convencimiento, porque tu entorno se empieza a llenar de niños, porque crees que *verdaderamente* es el momento, porque te asalta el miedo al fracaso o al vacío si no lo haces, porque ahora te fijas más en los niños y te dices: «Tiene que ser bonito, ya verás como te cambia la vida...» ¿Por qué se toma la decisión? No tengo la menor idea. Por muchos disfraces que se le pongan, esto tampoco tiene una sola respuesta ponderada posible. O tal vez sea que mi cabezonería racional se extravía sin remedio.

Puede que algún día alguien responda la verdad y afirme, sin pudor: «Tengo hijos porque huyo, porque necesito seguir huyendo.» Y así volveríamos donde estábamos al principio e incluso podríamos preguntarnos si no sería una maniobra semejante a una escapada de libro: ¡quiero ir de Erasmus a París! E ir. Me hago trampas, de acuerdo, pero es porque el cerebro descansa con estos desvaríos aleatorios sin mala fe. Ya sé que de aquí saldrá un bichito que es más que una experiencia de unos meses en una ciudad extranjera. Aunque puede que en algunos momentos ese ser parezca tan extranjero como me lo pareció París... Pienso a menudo en ello, ahora que falta menos para que Bruna aterrice. Me da miedo no saber tratarla, no darle calor suficiente, que herede la chapucería de alguno de mis antepasados, que no sepa yo hablar con ella, que sea dura o demasiado blanda... ¿Y si me vuelvo loca de pronto a consecuencia del estrés de las primeras semanas? ¿Y si me hundo, como en París? ¿O si me engulle otra ola de patetismo, si por alguna de las cosas que ignoro resulta que la niña tiene un abuelo descendiente de esclavos arrancados de la isla de San Vicente? Y luego pienso en lo que dicen de la subida hormonal, que las hormonas te ponen a funcionar más de lo que te imaginas que si patatín que si patatán... El parto también me da miedo. Y tampoco lo digo. Ni a mi madre. Desgajarme y que después no me puedan coser. Que el desgarro sea definitivo. Es como si en estos años de bonanza en el trabajo y con Simó hubiera huido del esguince de París y ahora se me presentara la posibilidad física y real del destripe que había esquivado.

Un día le pregunté a mi madre cómo había sido su embarazo de mí con la esperanza de que me contara algún recuerdo amable. «Los primeros meses estaba muerta de miedo, pero ¡miedo de verdad, no creas!» Miedo de volver a tener una hemorragia tan descontrolada como en el aborto anterior: no había manera de cortarla, la llevaron al quirófano deprisa y corriendo, creyó que se iba del mundo y, al advertirlo, se agarró al niño pequeño que era mi hermano. El miedo es un sitio que nunca se queda vacío, una cadena de montaje que funciona veinticuatro horas al día. Seguro que me cambió el color y me quemó la vergüenza de haberle insistido tanto en si yo era adoptada.

Cuando me pierdo en estos berenjenales me levanto y me tomo un zumo de manzana natural, ecológico, sin azúcar, muy como tiene que ser para que la conciencia –si no la salud– salga ganando. Y pongo música clásica en el comedor, que supongo que a Bruna le viene bien, dicen que ya oyen. Cierro los ojos y respiro y retrocedo unos cuantos meses, a cuando supe que estaba embarazada. Sería el momento de repetir las cosas que pregonan algunas futuras madres: ya decía yo que aquella vez había sido la buena, aquella noche más apasionada tuve unas sensaciones..., me lo dijo al oído un sexto sentido... Pero no fue así. Lo que tuve fue un miedo abisal a quedarme embarazada precisamente aquel mes.

A mediados de abril conseguí terminar la retahíla de pruebas que me había recomendado el ginecólogo. Todo en orden y a seguir intentándolo, acordamos finalmente Simó y yo. Al menos hasta después del verano. En abril, nada. En mayo, nada. En junio, nada. Cada vez que tenía el periodo era como un mazazo, un recordatorio de que no servía ni para eso. ¿Y el don? Sabía que no tenía que buscar culpas, ni echárselas a mi pareja ni nada por el estilo. Solía quedármelas todas para mí.

A finales de junio tuvimos una convención de esas de la empresa –así las llamaban ostentosamente, convenciones– para hacer balance del curso, cohesionar el grupo, recibir consignas y demás zarandajas. Un encuentro de fin de semana que en realidad se resumiría en desbarrar todo lo posible. La empresa decidió llevarnos a Tenerife. Habíamos tenido buenos resultados económicos, como si la crisis hubiera terminado y se pudiera volver a hinchar la burbuja a pedir de boca. La última reforma educativa sin ton ni son nos había favorecido. Hasta la decisión más simplona favorece siempre a alguien..., casi siempre para empeorar el panorama general.

La primera noche en la isla fue un paseo de reconocimiento. Entre unas cosas y otras llevábamos tres años sin hacer estos encuentros a cuerpo de rey y la plantilla se había renovado mucho en otras ciudades. Por la noche, barra libre, de ahí que hubiera tanto pasado de rosca destacable. La primera noche bebí muy poco. Hacía unos meses que, pensando en el posible embarazo, había reducido drásticamente el nivel de alcohol en sangre al que estaba acostumbrada. Dos cervezas y a dormir.

Antes de irme de la sala nocturna –medio antro hortera para bodas, medio bar de copas cutre con toques de casa de citas–, estuve hablando con un par de tíos que no conocía de nada. Eran nuevos en la empresa. Uno se llamaba Pablo y llevaba una camisa blanca de manga larga con marcas de sudor en las axilas y la frente empapada también, y el pelo todo pegado. Empezó a cantarme las excelencias del trabajo que hacían en Madrid, que habían conseguido un contacto directo con el ministerio y que les habían asegurado la entrada en muchos centros escolares. A mí, el negocio en sí, lo que se dice la empresa, sus balances y ascensos, me dan bastante igual. Es la forma que he encontrado de contar con un sueldo seguro y nada más, sin más vocación ni interés por los avatares editoriales, educativos ni sociales. Tampoco se me ha manifestado ningún prurito trepador, como a estos yonquis del poder que malgastan todos los escrúpulos. Menos mal que otro, más obcecado que yo con la escalada comercial, lo secuestró y se puso a defender con entusiasmo el futuro de los libros de texto en inglés. Aproveché la ocasión para irme a dormir. Al pasar por la barra June me detuvo.

–Oye, te presento a Jonás. Trabaja en Sevilla y es comercial, como tú. Dice que este año le han ido muy bien las cosas.

Noté en las palabras de June la velocidad de cuando se está algo cargado, una mezcla de euforia y desinhibición habitual en ella –no necesitaba mucho alcohol para ponerse así–, y ganas de contagiarla. June era especialista en liarla. Seguro que ella tenía unos objetivos claros para el fin de semana, el camino para mejorar su balance de situación, y no precisamente la financiera. Yo había alargado la noche a mi pesar. Estaba cansada, sin ganas de juerga, y lo único que se me ocurrió fue preguntarle al tal Jonás por qué se llamaba así. Siempre me fijo en el nombre de la gente, en los nombres que no son corrientes. Y este era bíblico. Y además, preguntar es una forma de hacer cosquillas buenas al prójimo, de darle importancia.

–¡Ah! Eso pregúntaselo a mi madre –contestó Jonás despreocupadamente.

Su alegría también me dio pereza, pero nos reímos. Cuando June se fue corriendo a abrazar a otros conocidos me vi abandonada. Tenía que seguir con una conversación que no había buscado. Y obré como se suele en estos casos, es decir, me saqué de la manga un comentario inoportuno:

–¿Y tu padre no dijo nada?

–Bueno, se puede decir que no lo conocí...

–¡Ah, vaya...!

–Desapareció cuando era yo muy pequeño y no volví a verlo hasta los nueve o diez años, cuando vino implorando que lo dejáramos volver a casa. La típica historia. En Honduras es muy corriente.

–Bueno, no pretendía molestar...

–No, mujer, no me molesta. Me gusta la gente espontánea...

Y noté esa mirada que se alarga y que hurga, y me invitó a tomar otra copa, no, disculpa, me iba a dormir ya, a lo mejor mañana...

–¡June, me voy a la cama! –dije, aprovechando que pasaba por allí bailando con unos cuantos–. Jonás, seguimos mañana, que hoy estoy cansada, de verdad, todo el día por aquí, el viaje...

–¿Y tu nombre de dónde sale?

Y otra vez esos ojos grandes que te escudriñaban como si miraran el mundo por primera vez, maravillados, como si no pudieras escapar.

–Te lo cuento mañana.

–Mañana, seguro, ¿eh?

Dormí como un tronco. Remoloneé un rato en la cama antes de levantarme porque todavía nos esperaba una mañana entera de sermones empresariales. Por la tarde, tiempo libre para ir a ver Santa Cruz de Tenerife, hasta la hora de la cena y la fiesta. Salí con June, la Miralpeix Becher y dos compañeros más de Barcelona con los que no tenía mucha confianza. June estaba radiante, aunque solo había dormido tres horas.

–Esta noche va a ser la bomba. Mila, hoy no te vayas a dormir pronto, ¿vale? Además dejaste al pobre Jonás con la palabra en la boca...

Solté un resoplido.

–¡No me dirás que no está bueno el chaval! Entiendo que la Miralpeix se vaya pronto a la cama, está de diecisiete semanas, ¿verdad que son diecisiete, Sara?, y tiene que portarse bien y contarle a su compañero que se encuentra muy bien, que ya no vomita y que no se ha llevado nada raro a la boca, pero tú, tú tienes que relajarte un poco, Mila, que últimamente parece que te hayas tragado un sable, tan tiesa, parece que no estés...

A lo mejor es que de verdad no estaba, pensé para mis adentros, antes de mandarla a hacer gárgaras amistosamente dándole la vuelta al asunto.

–¡Habló la leona, que no deja pasar ni una! Anda, cuéntanos cómo remataste ayer la noche. Eso es lo que quieres tú, que te preguntemos por tus trofeos, explayarte...

Y soltó una carcajada escandalosa. Yo me encontraba pesada y más bien tenía ganas de volver a casa. A June no le había contado todavía detalles de la búsqueda del hijo. No había surgido el momento oportuno. Cuando la Miralpeix me dio la noticia de su embarazo me pilló desprevenida. Fingí que me alegraba, pero enseguida me colgué pensando en la clase de ser que crearía un cerebro tan ultraanalítico. El típico sentimiento negativo para contrarrestar una alegría postiza.

–Para una vez que no hablábamos de mí... –contraatacó June–. Ríete tú, pero Jonás me preguntó cosas de ti...

Y los demás soltaron un «eeeh» como una ola, como diciendo «aquí hay lío». Y los dejé disfrutar porque era día de actuar como adolescentes.

Por la noche, cena bastante contenida. Después, vuelta a la sala kitsch, donde la noche anterior el jefe de comerciales se había liado con la de finanzas de Madrid; un comercial de inglés se había escapado con una secretaria de Barcelona; y June, como de costumbre, había seguido con sus aficiones exóticas y se había enrollado con un tío de Ámsterdam que vivía entre Barcelona y Londres.

–Se ha casado dos veces y tiene tres hijos, un crac, y encima, de Ámsterdam –presumió June en la barra, con esa relajación envidiable, atenta a la jugada.

–Por eso Jonás te pega tanto, June, un morenito hondureño y de cintura ágil...

–¡Vaya! ¡Conque te has fijado! Esta noche voy por otros derroteros. Pero, para empezar, procura cambiar esa cara de mala uva, ¡que no hemos venido a este mundo a sufrir! Te pido una cerveza, ¿vale?

Me hizo reír. También porque me recordó a mi abuela y a su calvario de la cruz.

Cuando ya llevaba un par de cervezas y, por lo tanto, volvíamos a la casilla de salida, Jonás, que andaba por allí cerca despistadamente, se me acercó; yo apenas me había movido de la barra (por algo era el sitio más próximo a la salida). Me ofreció una cerveza y no sé por qué insistí en volver a hablar de los nombres. Le dije que la cuestión del nombre siempre me había hecho mucha gracia. Que si alguna vez tenía una hija se llamaría Bruna, y que si tuviera un niño, sería Martí... No suelo encadenar tantas banalidades seguidas, pero la conversación o el kitsch de la sala me animaron.

–¿Quieres tener hijos?

–No, todavía soy joven, no tengo ninguna prisa. –Mentira podrida–. Es que siempre me fijo en el nombre, y como te pregunté tantas bobadas...

Iniciamos un diálogo raro. Cada vez que yo abría la boca era para salir por peteneras, y él lo interpretaba como un exotismo que le hacía una gracia monumental. O eso pretendía aparentar. Yo iba calándolo. Tenía la piel de un color café suave. Y un movimiento de nalgas ágil, tal como me lo había imaginado desde el primer vistazo. Nada que ver con esos hombres tronco que parece que se sostengan por los hombros.

A veces pasan cosas porque en un abrir y cerrar de ojos te las encuentras delante de las narices y se abre una grieta que toma forma de pasadizo secreto. La conversación se acelera, hablamos con mucha más gente al mismo tiempo, desbarrando –ahora sería incapaz de reproducir ni un solo diálogo de aquellos–, pero no llegan a separarnos, y todo se acelera más todavía, como si la marabunta nos empujara hacia delante. Algunos se escapan, otros montan el numerito, pierdo de vista a June, tendría que irme a dormir, quería mandar un mensaje a Simó, pero la conversación –sobre nada importante, de eso me acuerdo muy bien– mantiene la fuerza magnética, tan pronto arreglamos el mundo como declaramos interés por la ciudad del otro, qué historia familiar tan curiosa, y ¿eso del don lo dices en serio? Pues, una vez, en Honduras, me llevaron a ver un chamán. Tú también crees en fantasmas, ¿verdad? A lo mejor somos almas gemelas; evidentemente no lo éramos, pero en aquel momento había que escenificar la conexión cósmica, para acercarse todo vale. ¿Por qué me apetecía ese juego de coqueteo si en los últimos meses me había concentrado en tener un hijo? Probablemente para volver a flotar como antes de contar los días del calendario, como antes de que me recordaran que mi cuenta atrás de mujer fértil había empezado, como antes de buscar motivos y métodos y recomendaciones por lo que nos pasaba. Precisamente porque todo eso –todo esto– había estado pasando por dentro y ahora llegaba el estado previo del géiser, antes de empezar a hervir y dispararse, como un chorro de sifón, como un escupitajo al aire. Y Jonás insistiendo en comentarios que abren brecha, las nalgas sinuosas se me acercan, ahora la mano en la cintura, ahora un abrazo fraternal de alegría, es solo alegría, nada más, hay que celebrarla...

Y una despedida delante de la puerta de su habitación. Por favor, Mila, no puedes estar repitiendo la escena de adolescente, de hacer como que te miras y luego no. Vete a dormir de una vez que mañana será otro día. Y él que no deja de mirarte y de susurrar, sabe mucho el muy canalla, y te acecha más todavía, te besa, primero como si nada, después a fondo. Y me separo, bueno, anda, que me voy a dormir, que es tarde, ya basta... ¿No te ha gustado? Perdona, no quería molestarte... No, no es eso, pero es que... ¿Te da reparo? No, sí, eso, la cuestión es que... Y vuelve a agarrarme, la lengua caliente, hirviendo, y entramos en su habitación. Y enseguida las manos que me recorren y rincones que se me erizan, de cero a doscientos kilómetros por hora en diez segundos, como las mejores veces en el campo de mi abuelo. Así fue.

Me fui a mi habitación hacia las siete de la mañana. No me presenté al bufet del desayuno. Me levanté a las diez para hacer la maleta, me escapé a comer algo fuera y volví al hotel para coger un taxi e ir al aeropuerto con el contingente de Barcelona.

–¿Dónde te habías metido, Mila? Me parece que te están buscando...

June señaló a Jonás, que estaba en un lado del vestíbulo.

Le hice un gesto para que se acercara. Pasaba de numeritos privados y empalagosos en un rincón. Dos besos en las mejillas, aunque el segundo lo alargó él y lo acompañó de un susurro.

–Volveremos a vernos, ¿no?

–Quién sabe, al final, ¡los dos creemos en fantasmas!

Y riéndome, le tiré un beso en actitud infantil y teatral –es un numerito que me sale para cambiar de rollo–, le dije adiós y desaparecí. Me pasé el viaje de vuelta durmiendo, sentada en el avión al lado de June. Ella llevaba una resaca gigantesca, una resaca feliz, como le gustaba decir. Había tenido una actividad frenética. No había necesitado recurrir al catálogo de ganado.

June y yo nos vemos venir a la legua. Por eso, antes de ponerse a dormir, lo único que me dijo fue:

–Mila, a ti te van los tíos con nombre bíblico, ¿no?

Aquella noche fue una bola que empezó a crecer en el pensamiento hasta los días en que tenía que venirme el periodo. No había culpa. Era solo miedo por lo que pudiera suceder. Cuando llegué al piso de la calle Arquímedes, Simó me recibió de una forma que el estómago me dio un vuelco. Empezó a contarme las mil y una novedades del fin de semana y los nuevos planes que se le habían ocurrido para el verano:

–He encontrado una exposición que te encantará en el Pompidou.

Disimulé. El cansancio –real– me sirvió de pretexto. Estaba yo en otra galaxia..., hasta que metí la llave en la cerradura. Esas convenciones festivas de la empresa te abstraían del mundo real. No me había dado tiempo a meditar sobre los desajustes que se podían crear. Era como si la famosa noche quisiera ocupar un agujero de gusano igual que los que dicen que se forman en el universo: seguramente, lo que yo había hecho era viajar en el tiempo por un atajo, nada más. Ahora ya estaba fuera del agujero de gusano y, como si acabara de rebotar en el tren de la bruja, tenía que destinar unos minutos a arreglarme el pelo, las palpitaciones y la ropa. Al final he necesitado unas semanas.

Jonás y yo nos escribimos algunos mensajes con la intención de ir a menos. Prefería rebajar el juego (y el fuego): en un momento hago como si me acercara y al siguiente, como si me alejara, pero era necesario poner distancia de por medio.

En julio esperé el periodo como nunca en mi vida, primordialmente porque así no tendría que calentarme tanto la cabeza. Pasaron los días y me hice la prueba. Y después empezó el cálculo mental. La semana anterior al viaje lo había hecho tres veces con Simó. Por lo tanto, las posibilidades estaban abiertas. Y solo yo tenía la información íntegra. Incluso ante una eventualidad como esta, mi sentido científico de redactora de instrucciones de electrodomésticos, lejos de agachar la cabeza, emergía como una tabla de salvación. Quizá el Hombre de Allá Arriba tendría que haberme encaminado hacia los estudios de Ingeniería. Aunque ahora lo considero con una sonrisa distanciada de tanto cálculo matemático, a veces me parecía que iba a perder la chaveta. Después he ido tranquilizándome. A lo mejor es que los efectos de la agitación hormonal me proporcionan unos miligramos de humor vitriólico. Simó dice que estoy inspirada. Bruna tendrá la piel de un color tirando a lechoso, igual que yo, y entonces no habrá que darle más vueltas. ¿Y qué pasaría si saliera morenita? Mi padre y una tía son morenitos. Estadísticamente, Simó tiene todas las probabilidades. Escribir todos estos recuerdos me ha ordenado las ideas, me ha hecho poner los pies en el suelo un poco más. Ha sido una operación más completa que vaciar la casa de los abuelos. Al menos ahora cada trasto está en su lugar, como mínimo hasta el próximo cambio de armario. Y eso es lo importante. El trabajo está hecho y cualquier día quemo este cuaderno, como hacíamos con los papeles del Hombre de Allá Arriba. Al fin y al cabo, ¿quién más supo de ese maestro de la vida, hecho a medida para nosotros?

No he consultado muchos libros de futura madre. Lo que sí he tenido en cuenta –un poco en exceso– es la carga genética de la intolerancia a la lactosa y de las depresiones posparto. Mi madre la tuvo cuando me trajo al mundo y a veces temo que vuelva el vértigo de las escaleras del Pompidou. Pero como internet es el invento ideal para que todo el mundo tenga síntomas de todas las enfermedades al mismo tiempo, no hay que hacerle mucho caso. Tampoco las estadísticas lo explican todo, no pueden abarcar la historia de principio a fin. Somos algo más que una secuencia de ADN. A mi madre no le he contado nada de las inquietudes que me han asaltado porque sé que el cordón de cuando volvíamos en coche, cruzando la hostilidad del polígono y del cosmos con nuestro Ford de hojalata, está indemne. Si tropiezo, Simó y ella me sujetarán.

En los últimos días me dedico a hacer castillos en el aire, futurología de pacotilla, siempre refutable, sobre cómo saldrá, cómo intentaré educar a Bruna. Me resulta curioso pensar que ahora me toca a mí ocuparme de darle la leche que la ayude a crecer. Procuraré desguazar las cruces con las que quieran cargarla (conozco la técnica para domesticar el portland y evitar que las cruces arraiguen). Le contaré cuentos, le pondré música, la llevaré a aprender inglés de pequeñita. En casa, por acción o por reacción, me enseñaron muy bien a ser natural y a tener la mirada limpia, y a saber dónde tenemos la mano derecha y la izquierda..., ¡que ya es mucho! Pero eso es una cosa y otra muy distinta que yo sea capaz de enseñárselo.

Intentaré que el mundo que habite sea suficientemente ancho desde el principio, que sepa defenderse sola, que sea tolerante con lo extraño, con lo nuevo y particular, que distinga un huevo de una castaña... Cinco minutos rellenando la lista de buenos propósitos como si fuera un pavo y salta a la palestra la pregunta obvia: ¿le podré enseñar yo todo esto o tendrá que aprenderlo sola? Porque en casa te enseñan lo que quieres y lo que no y, a partir de ahí, te apañas como puedes. Si sabes que puedes elegir, eliges lo que te parece o lo que puedes abarcar, y si no, te pones a dar patadas al aire para que al menos el juego no se acabe. Inevitablemente, la familia suele ser un monstruo de dos cabezas, tan tremendo como simpático. Pero nos acostumbramos a hacer como que solo le vemos una, y siempre en su sitio, además. ¿Yo también contribuiré al monstruo de dos cabezas?

Puede que este guión de sueños futuros que despliego no sea más que el peaje de pánfila que tengo que pagar, como un catarro en invierno. Me gustaría no caer presa de la moda de la crianza, que es la palabrita que se lleva ahora para que parezca que nadie ha sido madre antes que tú. Tiene gracia, ¿no?: vivimos instalados en un presente asfixiado, sin alas, y me da por remover las vísceras del recuerdo, del sitio del que vengo, porque me parece que así sabré dónde estoy. Me lo he preguntado siempre: ¿qué se hereda y qué dejamos atrás? ¿Dónde se detiene la correa de ascendencia y descendencia que nos atraviesa? El mecanismo debe de funcionar como sigue: en un momento determinado se abren las puertas de un ascensor que no sabes quién maneja y te dejan un regalo en casa; las puertas del ascensor se cierran a toda velocidad para ir a otro piso sin darte tiempo a rechazar el regalo ni a preguntar por el remitente, sin tiempo para saber si es un roscón o un zurullo. Quizá en ese momento en la Amazonia hay otra mujer, tu gemela, que se hace las mismas preguntas, que tiene las mismas dudas y sueños, y resulta que esta vez encajamos por fin.

También me imagino viajando juntas Bruna y yo, quizá a París... Oye, ¿por qué no la llevamos al guirigay ese de Disneyland? Aunque a lo mejor eso sería enviciarla más de la cuenta... A ver si la voy a agobiar... Y entrelazo un montón de planes que es como empezar la casa por el tejado, un hablar por hablar interior para deshacer inquietudes, los ovillos enredados. Una épica en minúscula, íntima, para desmenuzarlos.

Ahora he notado una patada. Me digo que todo va a salir bien porque no tiene por qué no ser así. Es un lugar común al que también solía recurrir el Hombre de Allá Arriba. Pongo música, elijo a la Callas. Me ha dado fuerte por esta mujer. Nunca había prestado mucha atención a la ópera, pero últimamente su trágica historia me tiene entretenida y fascinada. Su abismo me consuela y, en comparación, mi circunstancia es un juego de niños. Es un espectáculo verla interpretar la habanera de *Carmen* de Bizet. Me pongo los vídeos de YouTube una y otra vez. «*L'amour est un oiseau rebelle que nul ne peut apprivoiser...*» La Callas en el Covent Garden. La Callas en Hamburgo. La Callas en Tokio. Es la misma inquietud por obsesiones inciertas que se me despertó en París. En aquel momento, el arte armenio y el mundo judío. Ahora, la gran voz de la Callas, su poderosa presencia, que atempera... Se acabaron los trucos de escapismo. Las entradas y salidas a destiempo que quitaban encanto al número y enturbiaban la escena. Todos esos sitios por los que pasé sin estar han quedado atrás. El camaleón sonríe desde el sofá, plácidamente acomodado, con el círculo de los abultados ojos latiendo, sincopado, y sin perder ripio. Tiene las escamas más sofisticadas. «*Et c'est bien en vain qu'on l'appelle, s'il lui convient de refuser...»* Me hipnotiza la libertad que respira toda ella, de los pies a la cabeza, la picardía, la grandeza, esa forma de mantenerse a flote a pesar de todo. Y me pregunto si esta potencia me atraviesa la barriga y conecta con el bichito que llevo dentro, si la gran voz de la diva es una sustancia amniótica más y le suministra a Bruna alguna clase de alimento. ¿La convertirá en una mujer briosa, más recta y más firme que su madre y que la propia Callas? En cualquier caso, seguro que no arrastrará la extrañeza como compañera de viaje, que no llevará un castillo de roles predeterminados cargado a la espalda como un rascacielos. Bruna será hija de un acto de superación del miedo. Me la imagino como un acto imponente oficiado por la sacerdotisa Callas, con el Hombre de Allá Arriba haciendo de chamán. Un chupito de ayahuasca, por favor.

A algunos las cosas nos han costado más que a los demás. La casilla de salida estaba en otra parte, nos han obligado a dar un rodeo. Pero el rodeo fortalece las piernas y los pulmones y te ahorras el gimnasio. Cuando Bruna sea mayor, le contaré la vida y milagros de la Callas. Y otras cosas que le vendrán bien, y otras que no hacen falta. Me acuerdo de lo que me decía mi madre cuando tenía que tomarme los papelitos del Hombre de Allá Arriba: «Mila, tómatelo, que mal no te va a sentar.» Una afirmación balsámica, un camino liso para ordenar el universo. Y ahora me digo por lo bajo, como gastándome una broma por dentro, como si le gastara la primera broma de las muchas que le voy a gastar: Mila, tú sigue poniéndole a la Callas, que mal no le va a sentar.

[SALIDA]

Le parece que todo el alcohol, todos los porros y todas las tonterías de la noche le bajan de repente. Tira el cuaderno al sofá. Si pudiera, lo quemaría. Se va al baño. Se mira en el espejo la piel morena, que no llega a café con leche, reluciente por el reflejo de la luz del cuarto de baño. Tiene náuseas. En la calle Arquímedes nunca se ha oído un aria de la Callas. Tampoco algunas anécdotas de estos ancestros desgarrados ni de los confusos viajes en noches universitarias y en ciudades extranjeras. ¿Eran la misma persona, la que escribió ese cuaderno y la que ha conocido ella? ¿Qué pasó entre una cosa y otra para que quedara este agujero que le parece inexplicable?

En el comedor contempla la reproducción de un icono armenio, con el que ha convivido toda la vida con indiferencia, como si de pronto pudiera tener un mensaje encriptado. Colores vivos y un dorado refulgente envuelven a un hombre y a una mujer que sostienen a una niña que lleva una rosa o una lámpara en las manos; al pie, dos cabras tumbadas tapadas con una manta a cuadros, los mismos cuadros que el vestido del hombre y de la mujer, de rostro inexpresivo, como de talla románica. La verdad es que las cabras y los padres tienen la misma cara anodina, que, si no fuera porque no es el momento oportuno, podría pasar por cómica. Antes de salir al balcón se fija en los ojos de la niña, la única que mira de lado, con cierta displicencia. Le llega de fuera un soplo de aire y le hace pensar en encender otro cigarrillo.

Ratatatá. Podría ser el ruido de una recortada, pero es la carretilla de extrañeza que le han descargado a la espalda. Nota el peso de un montón de piedras. Son piedras que han ido pasando de la una a la otra como un testigo infinito, como una cruz que hay que soportar sin decir nada. A lo mejor es la carretilla que no aparece en ninguna cadena genética, la que a su madre se le olvidó convocar. Empieza a lloriquear. No sabe por qué. ¡Lo que ha leído no es nada definitivo! Y si lo fuera, ¿qué pasaría? ¿Se enfadaría? ¿Qué ha sido del espíritu libre del que tanto alarde ha hecho ante su madre? Lo imprevisto, lo que jamás había pensado, la inunda de adrenalina, pero también le ha puesto un ovillo en la barriga, como cuando una ternilla de ternera se te hace una bola en la boca, un ovillo hecho de astillas de rabia, de traición y de vergüenza, de compasión por su padre. En cuanto estas ideas hinchadas de melodrama se le acumulan en la cabeza se le sube a la boca una pelota deforme.

Le gustaría despertar a Arya y contárselo todo, pero no quiere parecer una niña pequeña. Procura tranquilizarse. Se tumba a su lado. La acaricia. Se arrima. Arya está profundamente dormida. Le devuelve alguna caricia levemente, sin fuerza. Bruna va a pasar la noche en blanco, yendo y viniendo al baño.

Aprovechando que sus padres se han ido de viaje a París, le apeteció organizar una fiesta de despedida del piso de Sant Andreu, donde ha vivido toda la vida, antes de irse a compartir uno en el Raval con unas colegas (sus padres la van a ayudar con el alquiler, su madre puso alguna objeción al principio, pero el padre se puso de su parte para convencerla...). También ha venido Nil, que todavía ha hecho algún intento desesperado de seducirla cuando estaban solos en la cocina. Le sorprende que esa historia parezca que no ha existido: no hace ni un mes que se enrollaron.

Después de cenar, cuando los amigos se fueron, Arya se quedó con ella e hicieron el amor dos veces, con una intensidad que Bruna no se conocía. Le hurgó todos los rincones. Se entregó como nunca con ninguna otra persona. Ni con Nil. A su edad, todo pide un despliegue de clasificaciones sensoriales maximalistas, como si siempre hubiera una cima más alta que escalar. Se la come el presente. La actividad sexual la desvela y, con la plenitud del placer que acaba de degustar, le apetece coger el cuaderno que acababa de empezar a leer antes de que llegaran sus amigos.

Por la mañana la despiertan unas manos suaves que le recorren la espalda, la nuca, el pecho... Se da media vuelta y le gustaría hace otro tanto, pero tiene la cabeza embotada, la boca reseca y las piernas de corcho, y los ojos hinchados de haber llorado, y la insinuación sexual le trae a la conciencia el cuaderno, implacable, como una condena. El antes y el después que marca un hecho luctuoso. Siente lo mismo que un preso cuando se despierta por la mañana y ve que sigue en la cárcel; o un yonqui que sabe que le espera un día entero para apaciguar el mono. Se lo tiene que contar a Arya. Aunque a lo mejor eche a perder una gran noche, necesita desahogarse.

En cuanto abre la boca se le descontrolan las palabras, se le escapan, se atribula, intenta disimular, pero es peor aún. Lloriquea, primero poco a poco, después con un sollozo infantil. Se encoge. Arya no entiende nada pero mantiene la calma. La acaricia, le pide que se lo cuente, que no pasa nada, que estoy aquí, Bruna, dime. Y Bruna, desconcertada, la abraza y le entran más ganas de llorar al encontrar el pecho caliente de Arya contra el suyo y los brazos que le frotan la espalda. Por fin Bruna lo suelta.

–¿Sabes cómo termina ese cuaderno viejo que encontré?

Se tranquiliza a medida que devana la madeja. Arya le ha preparado café y la ha obligado a comer unas tostadas. La escucha mientras habla. Cuando termina de contarle el desenlace, arquea las cejas y une los labios en señal de admiración, pero sin perder la composición armónica. ¿Cómo lo consigue? Algunas personas tienen un don para estas contingencias. Le haría el amor ahora mismo a Arya si no fuera porque está hecha polvo y necesita oír una salida plausible, un gire a la derecha a cien metros sin vacilaciones.

–¿Y ahora qué vas a hacer con todo eso?

–Ni idea.

–Desde luego, la historia es bastante divertida, como de giro de telenovela. A lo mejor tu madre no es tan cuadrada como te la imaginabas...

–¿Qué dices?

Bruna reacciona un poco ofendida, como si le preguntara pero tú de qué lado estás. Arya tiene más tablas y no se deja impresionar.

–Pues eso, que al final las personas pueden ser de muchas maneras en la vida. Que la foto fija no existe. Y que al final, ¿qué? ¿De qué sirve juzgarlas después? ¿Qué sabes tú de esa mujer de hace veinte años? A mí me parece que ahora resulta más interesante, porque vivió la vida... a su manera...

–Sí, ya, pero hablamos de lo que hablamos, Arya. No sé cuánta gracia te haría a ti... ¡Y se burla de los estudiantes de Filosofía!

Bruna sigue portándose como una cría, Arya la cala rápidamente y le revuelve el pelo otra vez.

–Bruna, no te digo que hagas nada ni dejes de hacerlo, pero ten en cuenta que lo del cuaderno no demuestra nada. Quizá ni tu madre pueda demostrar nada. ¿Y cambia algo por eso? ¿No dices muchas veces que te fastidia esa moralidad de hacer lo que hay que hacer porque se tiene que hacer y blablablá?

Touché.

–¿No dices que lo importante son los lazos que nos creamos aparte de la genética y la familia, que no la elegimos? Ahora tenemos amigos que han salido de un laboratorio, que no necesitan saber quién es su padre ni quién ha puesto qué parte... Es muy diferente de antes. Y ahora resulta que tu madre se libera de la genética, por lo que cuentas, y entonces sales tú con...

–No sé si me entiendes... Claro que todo ha cambiado ahora, y que los problemas de mi madre no serán los nuestros. No pueden serlo. Pero sigo siendo hija de alguien, es decir, de alguien en concreto, del mundo de antes, y todo eso no se ventila así como así. Ni los recuerdos ni lo que creías, lo que te han dicho siempre...

Bruna está totalmente atrincherada. Lo que consideramos nuestras creencias es una antorcha encendida a la que nos agarramos aunque nos queme y aunque se apague. Se solidifican, por infundadas que sean, y se hacen ancestrales en menos de cinco minutos. Sin embargo, para abandonarlas, hay que pensar en ellas más de cinco minutos y posiblemente tirar de ellas unas cuantas veces más.

–Pero vamos a ver. Piensa un poco: ¿acaso sabes tú quién serás dentro de veinte años? ¿Puedes afirmar que serás la misma Bruna y una sola Bruna? Yo no, la verdad. No somos las mismas todo el tiempo y tenemos derecho a transformarnos, a cambiar. Bueno, es lo que me parece a mí...

Arya no lo sabe, pero está acariciando la cola al camaleón, los ojos que le laten.

–No sé; todo eso que dices... Desde luego que no tenemos una identidad unívoca ni plana, eso lo he defendido siempre, lo hemos hablado a menudo, pero en este caso me resulta muy raro. –Bruna intenta reanimar las teorías de barra de bar que ha aprendido muy bien en la cantina de la facultad–. Parece que no encaja, que no es posible, que es una broma...

–¿Y si se lo ha inventado? ¿Y si es todo una película? Acuérdate de lo que nos han contado alguna vez en clase, el poder del disfraz y la impostura en algunas sociedades...

–Sí, ya, y que lo que vivimos es una ficción...

–¡Vamos, mujer, un poco de ironía! Lo que cuenta es divertido, no me lo negarás. –Bruna la sigue con un mohín–. Además, el cuaderno termina antes del parto y no sabes por qué. No sabes lo que pasa después, lo que pasó, ni cómo lo vivió. Ni si habló con tu padre. También dicen que las percepciones cambian cuando eres madre. No la puedes acusar de nada. Nosotras estamos a favor de la alegría, y ¿ahora resulta que no transigimos con la diversión ajena? ¿Ni con la de la propia madre?

–La alegría, la alegría... ¿A qué viene eso ahora...? ¿Vas a soltarme el rollo de que ser madre le cambió la vida y todo lo demás? –contraataca–. Eso es mucho suponer. Lo ves muy fácil. ¿Le cambió tanto para que después el papel de madre cabeza cuadrada tapara todas las grietas de la mujer que era antes?

–Y dale. Un día le dices que te ponga a la Callas y que te cuente cosas de hombres tropicales y ya está. –Mohín y medio de amenaza por parte de Bruna–. ¡Ay, perdona!

Quién sabe si algún día hablarás tú de la noche que hemos pasado y vendrá una hija tuya y te preguntará: «¿Qué hostias hacía mi madre los sábados por la noche con esa panda, desbarrando de esa forma?»

–No me imagino de madre...

–¡Anda! Ni tú ni yo sabemos lo que vamos a hacer. A mí me gustaría ver a una Brunita algún día... Sería más divertido todavía...

Y Bruna se deshace cuando Arya despliega atajos de ternura como este. Con ella, pierde el mundo de vista. Vive la época del registro acelerado de impactos.

Tiene la impresión de que le pasa todo al mismo tiempo. Todavía está lejos del estado que identificó su madre de joven cuando, recién llegada de la voltereta parisina, se dio cuenta de que en realidad nunca pasa nada y de que, más adelante, eso suele convivir con el temor de lo que pueda pasar, por si llega la catástrofe. Sentir su inminencia ocupa, en general, demasiado tiempo, hasta que, por estadística, llega el día en que la catástrofe comparece.

Arreglan la casa y Arya se despide diciendo que hablarán por la tarde.

A mediodía llegan sus padres con la puntualidad que tanto la irrita. Ninguno de los tres está al corriente de la cantidad de viajes que se han hecho este fin de semana..., ni sabe calcular su alcance. Tal vez sea pronto o tal vez sea tarde. Ironías que nadie entiende. La correa de transmisión de ascendencia y descendencia que tanto obsesionaba a Mila se tensa caprichosamente, resopla como las locomotoras de vapor de los westerns que nadie sabe detener ni si hará falta un sabotaje para conseguirlo.

Su madre siempre lleva una maleta demasiado grande con la que tiene que cargar el padre. Al verlos entrar, Bruna se tira al cuello de su padre. Un detalle demasiado hollywoodense. Él se asombra un tanto, pero reacciona con una sonrisa afable. Tienen buen aspecto. Parecen relajados. Les ha dado el sol.

–Tienes cara de haber dormido poco, Bruna –le dice su madre.

Ya han descargado y le han hecho un resumen del viaje, todo muy bien, ningún contratiempo en el avión y París nos ha parecido una ciudad preciosa; casi se podía estar, a pesar de ser julio.

–Ayer vinieron los colegas a cenar y se nos hizo un poco tarde. Lo típico –contesta Bruna–. ¿Qué habéis visto de París? Dicen que el barrio judío está muy bien, ¿no?

Se le escapa un leve temblor. Teme que se le descontrole alguna pregunta y se visualiza montando una escena desgarrada con fuegos artificiales, al estilo de las tragedias griegas, pero la visualiza a tiempo para detenerla y sigue hablando con frases cortas, casi sincopadas. Se pregunta por qué han hecho ese viaje a París precisamente ahora.

–¡Hemos ido a todas partes! ¡A todas! ¡A tu madre le dio por recorrer la ciudad a pie de arriba abajo! Y eso que le recordé que no es como Barcelona. Estoy hecho polvo. El barrio judío, el Pompidou, Buttes-Chaumont y el parque de la Villette... Yo terminaba el día que no podía ni decir ni mu...

–Y no te olvides de la Shakespeare & Co... En resumen, el París más tópico; no es fácil ir más allá. Hay que pasar por esos sitios, aunque no sepas por qué.

–Sí, la librería esa. ¡Menudo rodeo que dimos a lo tonto para encontrarla!

–Pero ¿valió la pena o no, Simó? Bien contento que estabas después con todas las postales... –le pincha la madre, coqueta.

–¡Claro que sí! Ahora puedo recitar el nombre de las

calles de carrerilla, ¡como un guía turístico, oye! Hasta podría dedicarme a hacer de guía. ¡Cuando deje las clases, nos vamos a París a conducir rebaños de guiris! ¡Es el futuro!

A Bruna le da otro pinchazo. Se pone a arreglar cualquier cosa de la casa, lo que sea, con tal de hacer algo que le ponga la cabeza en blanco y aparcar así el peligro. «¿Será que en algunos momentos los tiempos y los lugares se superponen y solo se pueden contemplar como espectadora?», se pregunta.

–Triunfaríamos, en serio; triunfaríamos embaucando a los guiris –insiste el padre, al verla poco convencida.

Bruna se mueve a sacudidas, muy propio de la resaca, pero más exageradas. Está sacando platos y vasos del lavavajillas, concentrada en no romper nada, y de pronto la atraviesa un relámpago: ¡ha dejado el cuaderno a la vista en el comedor! Su padre se ha sentado en el sofá a recuperarse del calor en esa postura que le es tan familiar y que hasta ahora le servía de espejo, la de huye-trabajo-pereza-quédate, que no se inmutaría aunque cayera un misil en las escaleras.

–¿No te cambias, papá?

–Es verdad, tienes razón. Es que hoy estamos de un vago que vas a tener que hacernos la comida tú. –Y le acaricia la cara.

Cuando el padre se va a la habitación, Bruna aprovecha para devolver el cuaderno al baúl. Lo embute como puede y lo camufla debajo de las mantas viejas. Antes de irse a París, su madre le pidió que hiciera un poco de «baldeo de los apuntes de la universidad, que esto se parece cada vez más a una pocilga». A su madre nunca le ha hecho mucha gracia que estudiara Filosofía. «Ándate con cuidado, Bruna, que ya tienes muchos pájaros en la cabeza», le ha dicho alguna vez, para prevenirla de no sé qué. El otro cuaderno que apareció cuando ordenaba los papelotes está debajo de los apuntes de primero, de un cojín y de un flexo sin bombilla. Pero en realidad es como si no lo hubiera encontrado; la verdad es que, como no estaba roto, no le prestó atención, no lo dejó aparte y, por lo tanto, no lo vio. El detalle ínfimo que decide una bifurcación. Lo inconsciente de la mirada, lo que de verdad vemos y en lo que jamás nos fijaremos aunque nos lo pasen cien veces por delante de las narices. O aunque se interpongan todas las precauciones y graduaciones nuevas. Las fiestas que nunca sabremos que nos hemos perdido: Bruna no sabe que la otra libreta es un diario que escribió su madre de sus primeros meses de vida, los diarios que tenían que ser edulcorados para que un día, cuando fuera mayor, la madre se los enseñara a la hija. Pero tampoco sucederá. Bruna no descubrirá los detalles de las pruebas genéticas que tuvieron que hacerse sus padres por unas complicaciones de crecimiento que tuvo de pequeña, de las que nunca le han dado muchas explicaciones. «No hace falta hablar de eso, si no, al final parecerá una niña enferma», recomendó Mila a Simó con la intención de protegerla, con el mismo espíritu, en el fondo, con el que cerraba la puerta de casa la Pantera Rosa del Esquilador o con el que su familia se tragaba alegremente un papelito de fumar. Somos un malentendido perpetuo, carne picada de las cosas que ignoramos y de la desconfianza que acumulamos como un poso inevitable. El medio natural es «a ciegas» y avanzamos rodeados de misterios que no conocemos: si los viéramos de repente seguro que echábamos a correr. Solo de vez en cuando nos pasa un misterio por delante de los ojos, como un velo que nos roza o nos acaricia el pelo, y nos dice que sí, que la extrañeza también se hereda. Y las leyes del Far West, con su cola de contradicciones, no se borran de la noche a la mañana. Si llegamos a escapar de lo que está programado para nosotros, solo nos enteramos a medias. A veces solo catamos la ilusión de una escapatoria.

Vuelve la madre. Se ha puesto un vestido holgado, de esos que a Bruna le parecen de antes, de señora mayor, de los que a lo mejor se ponían la abuela a la que se le hacía oscuro y la Espatarrina. Le cuenta otras aventurillas del viaje, impresiones sobre los sitios típicos que hay que ver, algunas anécdotas de lo que han comido y alguna más del hotel, del avión y del día que fueron al cementerio del Père-Lachaise. «La tumba de Jim Morrison sigue pareciendo un santuario un poco kitsch; y los lápices de labios de la de Oscar Wilde, la verdad...» ¿Es que esta vez tampoco ha franqueado más puerta que la del París turístico? ¿O precisamente porque ha dejado atrás otras barreras prefiere repetir como un loro todos los sitios del catálogo? ¿O es cosa de París, que solo permite visitas de médico, por encima, sin entrar de verdad? A lo mejor disimula sin darse cuenta.

Su padre anuncia que se va a la ducha. Bruna piensa a menudo que se parece a él. Reconocerse en alguien es una manera de protegerse. Es un hombre muy tranquilo, prefiere facilitar las cosas; ha tenido con ella más manga ancha que su madre y no le ha dado tanto la vara con el pertinaz propósito de llevarla a museos, a teatros y a conciertos hasta el hartazgo. Bruna se considera un espíritu libre cuya madre quiere que recorra todos los pasos indicados. No es casualidad –les cuenta a Arya y a sus amigos para burlarse– que su madre sea de las que esperan a que el semáforo de los peatones se ponga verde y de las que siempre pasan por el paso de cebra, nunca por un lado.

Nunca se había dado cuenta de la dualidad que habitaba en su madre, ni de sus dudas y temores. Ni los presentía siquiera. Ahora, mientras vacía una mochila llena de papeles, la observa como si fuera un alien que ha entrado en el comedor. Detrás del contraste de formas y costumbres entre el mundo del que proviene su madre y lo demás solo ha visto cierto exotismo. Un exotismo inocuo y nada más. Una exageración a veces. Quizá el destiempo y el «deslugar» solo pueda detectarlos quien ha vivido en carne propia lo que es andar entre dos mundos: uno que se va, otro que llega, con la banda sonora del chirrido que se escapa, el roce de los dos mundos que se solapan. Bruna nunca ha concebido esa melodía arrítmica ni sus consecuencias, nunca ha visto la indomabilidad que ahora le estalla en los morros como una fanfarria imprevista que sale de repente de una esquina muerta. Paradójicamente, y a pesar del flujo continuo de ascendencias y descendencias, algunas impresiones son muy difíciles de transmitir. Cuando su padre abre el grifo de la ducha se dice: «Esta es la mía.»

–¿Y no habéis ido a alguna de esas universidades que..., no sé..., tan famosas de París? A ti te gustan esas cosas, mamá, ir a ver sitios diferentes que tengan un significado, ¿verdad?

–Sí, desde luego, hemos visto de todo...

–¿Cómo se llama la del Mayo del 68?

–¿La de Vincennes-Saint-Denis? Sí, sí, hemos ido, por curiosidad, y también a la Sorbona... Ya se sabe que en París siempre están encantados de haberse conocido. Y en las universidades también. Nada que ver con Barcelona. Ni con tu facultad.

Su madre nunca le ha contado su paso por Vincennes-Saint Denis. A Bruna se le pone cara de portero que no para de encajar goles absurdos, uno tras otro: como cuando el balón rebota en la cabeza de un defensa y se cuela a cámara lenta hasta el fondo de la portería y a cada repetición la estupidez del gol parece mayor. Y sin verlo venir, quizá por primera vez, se pregunta quién era su madre antes de engendrarla, cómo era la vida de sus padres antes de que llegara ella al mundo, cómo eran realmente y si eran muy distintos. El ser recién nacido, egoísta por naturaleza, cree que sus padres siempre han sido tal como los ha conocido. Y tal vez, como mucho, en algún momento del futuro, se sorprenda al constatar que envejecen, sobre todo porque es un proceso que va del brazo del suyo. Pero nada más. Si el hijo pudiera saberlo todo sobre sus padres mirando por un agujerito, la ingente cantidad de información y la densidad de la crudeza le harían estallar la cabeza. Y lo más grave es que ni así desaparecerían la asimetría ni la cojera que tiene todo el mundo, por mucho que ensaye posturas de bailarín.

«¿Cómo me lo monto?», se plantea Bruna, buscando un filón. «Si le pregunto por más detalles de París corro peligro de que se me vea el plumero y lo echaré todo a perder. Han vuelto felices y contentos. ¿De qué me serviría?»

–Bruna, ¿me estás escuchando?

–¡Ah, perdona! Es que tengo sueño...

–¿Quiénes vinieron a cenar? ¿Os lo pasasteis bien?

–Sí, sí, muy bien. Los de siempre... –Y de pronto Bruna intuye una luz. Empieza a liarse con lo que contó Txell de sus padres, una historia curiosa–. Resulta que, a partir de un detalle muy tonto, ahora se han enterado de un secreto de la historia familiar de la madre... –se lanza Bruna, y Mila no se da por aludida.

Bruna echa más leña al fuego para facilitarse las cosas, para llevarlas al terreno que le interesa, a la cuestión que quiere plantear, para poder disparar al centro de la diana de una vez. Cuando le parece que el terreno está bastante abonado, abre la primera brecha.

–Bueno, es una historia que da que pensar, ¿no? Estamos tan convencidos de que lo sabemos todo de una persona a la que conocemos de siempre y resulta que no.

–¡Ah, querida mía, así es la vida...!

Se pregunta mediante qué mecanismo la gente se hace mayor y se vuelve aburrida, una sombra de lo que fue, y lo único que consigue es ponerse encima capas de sombra.

–Sí, mamá, eso ya lo sé, no hace falta que me lo digas. Pues ayer, a partir de esa historia, nos pusimos a jugar. Cada uno decía lo que pasaría si descubriera algo inimaginable, algo que no sabía, de la familia, de los amigos, de su pareja... Es interesante.

Mila sonríe piadosamente, como si reconociera juegos de jóvenes para los que la vida es una autopista sin fin. Una autopista en la que aparece de pronto un Ari Vatanen, o un polígono para ir con Ema o unas noches en una ciudad desconocida. Pero Bruna no sabe nada del miedo a los polígonos ni de cómo se pega un paisaje a la piel. De pequeña, cuando pasaba el fin de semana con sus abuelos y salía a pasear con la abuela, que le contaba muchas cosas de antes y le certificaba que, en efecto, antes todo eso eran campos (alguien tenía que certificarlo), el barrio ya estaba urbanizado, habían edificado por todas partes y lo único que molestaba era el rumor de la autopista. Desde la habitación que había sido la de su madre ya no se veía la tapia del cementerio, sino otras casas. Había cambiado hasta la cuesta del cementerio. Ya no era un sendero precario, habían puesto bancos para sentarse a contemplar la autopista.

Lejos de desanimarse, Bruna se embala. Se da cuenta de que habla muy deprisa y tiene que encontrar la salida si no quiere que la cosa descarrile y yerre el tiro.

–Quiero decir que lo que nos contó Txell nos impactó

a todos, nos hizo pensar muchas cosas. Cada cual dijo lo que le pareció...

–Arya también estaría, ¿no? Me gusta esa chica –dice, pinchándola como si nada, porque sabe que están juntas aunque Bruna no se lo haya dicho.

Pero Bruna no quiere perder el hilo. Sabe que su madre tiene el don de llevar siempre el agua a su molino. Tampoco le ha contado nada de otros dones.

–Sí, Arya dijo que a veces las historias familiares parecen una telenovela, que hay cosas que nunca nos imaginaríamos. Y al final nos preguntamos qué hacer con ellas, ¿no? ¿Adónde nos llevan? ¿Las cogemos, las retomamos o las dejamos pasar?

No da con el tono adecuado, tiene los nervios de punta, necesita un cigarrillo, y lo cierto es que se liará uno en cuanto zanje el tema. Casi riéndose, como si fuera una broma, hecha un lío, consigue vomitar:

–Porque, mamá..., hablando de estas cosas, ya me entiendes, de secretos y tal, imagínate que, por ejemplo, para que me entiendas, te preguntara: ¿soy hija vuestra?

–¿A qué viene eso ahora? ¡Ya veo que anoche os dieron las tantas!

Ahora es la madre la que se echa a reír. A veces Bruna le recuerda las preguntas inopinadas que hacía ella.

–¡Oye, que lo pregunto en serio!

Bruna intenta rehacer el tono, pero ya es tarde para remediarlo. Se ha confundido de posesivo, ha errado el tiro. Somos un azar bizco.

–¡Qué gracia, Bruna! ¿Sabes que de pequeña yo le preguntaba a mi madre si era adoptada? Debe de ser una tradición familiar.

–¿Y qué te decía la abuela?

Mila, enternecida, mira a su hija, que la ha llevado a

un sitio al que hacía mucho tiempo que no iba. Hace un año y medio que murió su madre. Cuando nació Bruna y todo se le hacía una montaña, su madre la ayudó mucho.

–Seguro que tu abuela también me dijo «a qué viene eso ahora». Y esperaría con mucha paciencia a que dejara de hacer preguntas raras.

Mila no se acuerda ni por casualidad ni por un instante del cuaderno del embarazo que está perdido en el fondo del baúl y de su memoria. Ella decía que su familia no se andaba con miramientos, pero el primero que no se anda con miramientos es el paso del tiempo.

–Pues no te he hecho una pregunta nada rara.

Bruna insiste, más insegura que beligerante, intuyendo que su madre ha decidido no contarle nada más (a lo mejor no sabe de qué habla, no se ha inmutado...), sospecha que no va a ser capaz de intentarlo otra vez. El equívoco tiende, por naturaleza, a expandirse y a multiplicar los agujeros por donde circularán los topos y los interrogantes que se planteará otra persona un día. Pero de momento:

–¿Cómo no vas a ser hija nuestra, Bruna? Tienes el segundo dedo del pie igual de corcovado, querida mía.

AGRADECIMIENTOS

A Lluís, a Francesco y a Stefano, por las lecturas atentas. Y a las casas de Roma, Reikiavik, Olot y Sant Pere de les Puel·les, por la cálida acogida.